O céu entre mundos

SANDRA MENEZES

O céu entre mundos

2. ed.

Todos os direitos desta edição reservados à
Malê Editora e Produtora Cultural Ltda.
Direção: Vagner Amaro & Francisco Jorge

O céu entre mundos
ISBN: 978-65-87746-40-1
Capa: Dandarra de Santana
Ilustração: Douglas Reviere
Diagramação: Maristela Meneghetti
Edição: Vagner Amaro
Revisão: Léia Coelho

Texto revisado segundo o novo Acordo Ortográfico da Língua Portuguesa.
Proibida a reprodução, no todo, ou em parte, através de quaisquer meios.

Dados internacionais de catalogação na publicação (CIP)
Vagner Amaro – Bibliotecário - CRB-7/5224

M543c	Menezes, Sandra
	O céu entre mundos. / Sandra Menezes.
	Rio de Janeiro: Malê, 2024.
	166 p.; 21 cm.
	ISBN 978-65-87746-40-1
	1.Romance brasileiro I. Título
	CDD – B869.3

Índice para catálogo sistemático: Romance: Literatura brasileira. B869.3

2.ed. 2024.

Editora Malê
Rua do Acre, 83, sala 202, Centro, Rio de Janeiro, RJ
contato@editoramale.com.br
www.editoramale.com.br

Agradecimento

Ale Santos, Ana Paula Lisboa, Cris Oliveira, Ecio Salles, Família Menezes,
Flora Menezes, Julio Ludemir, Lu Ain-Zaila, Silvia Barros,
Fábio Kabral, Francisco Jorge dos Santos e Vagner Amaro.

Com a licença e a benção dos orixás por abordar o seu mundo. Agradeço aos ancestrais que me protegem, especialmente aos meus pais, Edith e Ebenezer (*In memorium*) por me acordarem para a importância de perseguirmos nossos sonhos. Aos meus irmãos, Ana Maria, Paulo Cezar, Marco Antonio e Andrea Cristina, pela afetividade genuína e união. À minha filha, Flora, por acreditar e seguir junto me imantando de amor e proteção. Às sobrinhas, cunhados, tios, tias, primos, enfim, à grande família. Às forças superiores pela orientação e realização do que me foi revelado, e que aqui entrego com sincera dedicação.

Vivemos antes. Vamos viver novamente. Seremos seda, pedra, mente, estrela...

                        Octavia Butler

Um dia, nem sei quando, um toque do mais puro afeto ancestral encheu meu coração de histórias, de todo lugar e de qualquer tempo... Sandra Menezes

Tempo de criar novos mundos

Que mundos são possíveis para nós, pessoas negras? Quais tecnologias – científicas, artísticas, espirituais – permitirão que continuemos vivos e vivas? São perguntas assim que movem a escrita futurista elaborada por e para pessoas negras. A narrativa que habita este volume nasce desse estímulo de fabulação que é, ao mesmo tempo, ato de resistência.

A escrita de autoria negra é uma ponte entre mundos da memória e do futuro, a ficção recria um passado não-registrado e proporciona novos horizontes que talvez ainda não possam ser vistos, mas que podem ser imaginados. É a partir disso que Sandra Menezes escreve O céu entre mundos, na perspectiva afro-futurista que, por princípio, está diretamente entrelaçada com a memória. Se nós, pessoas negras da diáspora, procuramos entender nossa história e conhecer nossa origem, somos nós também que vivemos em busca de futuros possíveis para vencer o aniquilamento. Por isso, na obra de Sandra Menezes, profissões como a de memorialista profissão de Zaila, mãe da protagonista Karima – se aliam a de cientistas para construir uma sociedade avançada em outro planeta. A tecnologia não pode existir sem as camadas de história e espiritualidade que nos compõem.

Nesse movimento, O céu entre mundos é um romance para exercitar imaginação, formular uma realidade de comunicação por telepatia e naves voando para outros sistemas planetários, mas também para ter notícias de quem veio antes de nós, pessoas cujas existências já eram futuristas no passado, pois pavimentaram estradas para que nós caminhássemos. Pensar por essa perspectiva é escapar da lógica ocidental e encaminhar nossa intelectualidade – espiritualidade, intuição, ori – para África. É na África que está a salvação da protagonista Karima, porque é lá que vive o ancestral com quem ela mantém conexão e diálogo.

Conhecemos o planeta Wangari, planeta semelhante à Terra, espaço alternativo para se viver após a ação nociva do ser humano tornar o antigo planeta azul um lugar inabitável. Seus moradores são negros, caracterizados a partir da nossa diversidade, o que é uma imaginação subversiva dentro de uma sociedade que repete "preto é tudo igual". Mulheres e homens exercem o poder que lhes cabe e o ato de falar da história escrita por nossos antepassados na Terra aparece tanto como exercício memorialístico, quanto como necessidade política.

É importante notar que não se trata de criar a imagem da perfeição. Em Wangari, existem conflitos, existe poder, mágoa e medo, porém a busca por solução para esses problemas é empreendida e protagonizada por pessoas negras que mantêm sua conexão com o continente africano. Uma visão futurista que deve inspirar o momento presente.

Se tanto nos pergunto com quantas romancistas negras se faz a literatura contemporânea brasileira, é com prazer que apresento este romance que entrará para nosso corpus, mantendo a esperança de que a ele se somarão muitos outros, porque contar histórias e criar novos mundos é nossa vocação ancestral.

Sílvia Barros é doutora em Literatura Brasileira pela UFRJ, professora do Colégio Pedro II e escritora. Publicou obras individuais e participou de antologias como Cadernos Negros volumes 41 e 42.

A fuga

Depois de cinco dias de cativeiro, aprisionada num pequeno quarto com paredes à prova de som, finalmente consegui fugir. Atravessei correndo o hangar e entrei na primeira nave estacionada. Desci pela escada central até o primeiro plano abaixo e me escondi entre caixas de refrigeração. Respirando ofegante e ainda apreensiva quanto ao meu destino, encostei-me à parede e permaneci quieta por uns instantes, ouvindo o barulho dos motores. Embora não conhecesse aquela nave, eu sabia que, em geral, em cada andar, há um macacão extra higienizado e um capacete num lugar visível para o caso de uma emergência. Vasculhei tudo atentamente e achei o traje num armário com porta transparente. Foi fácil me vestir e ajustar o capacete. Em poucos minutos eu estava pronta. Observei que de cada lado da escada havia uma barra fixa. Posicionada num degrau, passei meus braços pelas barras laterais e estabilizei meu corpo. Não demorou muito e senti o estremecer da propulsão da decolagem. Imagino que a trepidação tenha durado uns vinte minutos, e, quando percebi que o veículo estava estável, soltei as barras, subi um andar, me aventurei por um estreito corredor e parei diante da porta aberta de um dos alojamentos. Numa placa de metal na parede pude ver uma identificação: AIAPA 273 - *Aaye Ile-işę Agência Pan Africana*. Com muito cuidado, antes de entrar, procurei por câmeras de vigilância, mas elas deveriam estar embutidas no teto ou nas paredes. No interior do alojamento, me acomodei num canto próximo a uma janela redonda e tirei o capacete. Dali, pude observar o espaço com sua enorme quantidade de astros que formavam o que parecia ser um tecido bordado com pedras preciosas de brilho intenso e pontos coloridos em tons de vermelho, lilás, verde e dourado. Uma visão arrebatadora!

Meu nome é Karima, e sou filha do ministro Malique e da memorialista Zaila, influentes personalidades de Wangari. Faço parte da quinta geração nascida nesse exoplaneta descoberto por uma frota de naves originárias do continente africano, localizado num sistema estelar da Via Láctea vizinho ao da Terra. Depois de diversos países com experiências espaciais tentarem colonizar outros planetas além de Marte, a missão que reuniu países africanos estava sendo, até então, a mais bem-sucedida. A frota interplanetária que explorou a Via Láctea foi composta por astronautas da África do Sul, Nigéria, Angola e Quênia. Esses cientistas, matemáticos, antropólogos, geólogos, biólogos e pesquisadores, preparados para o trabalho de fundação de uma nova sociedade, foram os primeiros habitantes do planeta de coloração verde, com apenas um satélite natural, que tem condições geológicas semelhantes às da Terra. A grande estrela, centro do sistema que abriga Wangari, é o Sol Vermelho, e contamos com atmosfera em condições apropriadas ao desenvolvimento humano. Tenho 25 anos, sou engenheira ambiental na área humanitária e, pela contagem dos terráqueos, estamos em 2.273, Século XXIII, da Era Comum. No meu planeta, o ano é 158, do Século II.

Meu canal telepático foi bloqueado, pois todas as tentativas que fiz para estabelecer conexão com meus pais fracassaram. Desde a primeira geração, os nascidos em Wangari já eram diferentes dos habitantes da Terra. A telepatia, a rapidez com que aprendem a ler e escrever, a facilidade para inventarem novos instrumentos musicais e produzirem melodias de todo tipo apenas de ouvido e a cura de doenças usando a concentração de energia nas próprias mãos são habilidades que se manifestam naturalmente no nosso dia a dia. Embora esta viagem não tivesse sido uma escolha, estou aliviada, pois consegui escapar do cativeiro sem ferimentos, após desferir um golpe de defesa pessoal sobre o homem encapuzado que me mantinha presa. Aos poucos, vou desacelerando e tentando organizar em minha cabeça um turbilhão de pensamentos. Alguns dias atrás eu ainda seguia em minha rotina simples, vivendo normalmente, entre o escritório de projetos de engenharia que divido com outros dois profissionais, estudos, família, amigos e passeios. Meu pai é um dos homens mais admirados de Wangari, por ter sido sempre justo e consciente em sua função de guardião das leis estabelecidas pelos fundadores, que criaram um regime de harmonia e igualdade de direitos para todos. Nossa família é muito correta, temos um convívio social norteado pela gentileza e colaboração e não fazemos mal a ninguém. Por que iriam querer me sequestrar? Nos dias de cativeiro, o meu maior desejo era que tudo se esclarecesse, que eu fosse resgatada e que houvesse logo um desfecho para a situação a que fui submetida. No entanto, a aflição continua, pois agora estou em pleno espaço, escondida numa nave, sem ter a menor ideia de quem está no comando ou de para onde estou indo.

A nave

A AIAPA 273 trafegava silenciosa, em altíssima velocidade, quando a voz híbrida e metálica de uma máquina anunciou que continuávamos no modo invisível. Isso me deixou intrigada. A placa indicava que a nave era originária da Terra e, a partir da descoberta de Wangari, aquela rota interplanetária se mantinha ativa, com viagens periódicas. Por que motivo então o comandante estaria trafegando no modo de camuflagem? Investigo toda a área do quarto procurando respostas, e penso no que me teria impedido de correr para a porta de saída, mesmo tendo ouvido a contagem regressiva aos cinco minutos antes do fechamento total da nave. Era tempo suficiente para que eu pulasse e achasse outro lugar para me esconder lá fora. Em vez disso, vesti o traje espacial e me mantive agarrada àquelas barras. Percebo em mim uma ligeira confusão mental e o corpo tomado por sensações desconhecidas que me fazem tremer.

Apesar de tudo, mantenho o controle sobre meus pensamentos e ações. A lógica me diz que não conseguirei fazer toda a viagem como um fantasma, e que é preciso ter coragem. Então, decido sair do alojamento, me lanço no tubo em estado de flutuação, alcanço o andar superior e me deparo com três astronautas posicionados diante dos painéis digitais na sala de comando. Eles me olham e não se surpreendem com minha presença. Um deles pede que eu siga as instruções sonoras. Eles já sabiam que estavam com uma viajante clandestina. De novo meus sentidos entraram em alerta máximo. Com o coração batendo acelerado, tentei controlar a respiração, mas estava apavorada. Quem eram aquelas pessoas, e o que faziam secretamente em Wangari? O que poderia acontecer comigo naquela nave?

Continuei imóvel, ganhando tempo para entender como deveria proceder diante das três figuras à minha frente sem me descontrolar. A voz metálica me autorizou a tirar o macacão e a colocá-lo num compartimento sinalizado por uma luz verde piscando na parede à minha esquerda. Tentei demonstrar tranquilidade enquanto me livrava daquela roupa. Só então reparei que o macacão tinha do lado direito do peito uma pequena etiqueta com o emblema da Força de Segurança Especial Interplanetária. Meu espanto foi grande, e quando eu ia dizer alguma coisa, a oficial já estava de pé diante de mim com um leve sorriso, me dando as boas-vindas:

– Fique à vontade, Karima. Sou a comandante Dalji. A temperatura interna é agradável. E não se preocupe, porque agora você está a salvo!

Dalji era negra, assim como os outros dois oficiais, e tinha olhos castanho-claros. O primeiro oficial, que se identificou como Erasto, tinha a pele bem escura como a minha, e o outro, que se chamava Julião, tinha um tom de pele acobreado, o que me fazia supor que ele tivesse um antepassado indígena em sua árvore genealógica. Ambos me saudaram de seus lugares e exibiram sorrisos amigáveis. A comandante me levou até o centro da sala onde acionou no ar uma tela digital na altura de nossos olhos. Num ritmo meio acelerado, começaram a aparecer as imagens de minha fuga do cativeiro, a corrida até o hangar e minha entrada na nave. Quis saber como eles tinham conseguido aquilo, e a explicação me surpreendeu:

– Logo após o sequestro, o ministro Malique acionou em

segredo a Força de Segurança Especial Interplanetária, e começamos a trabalhar com ele num plano para tirar você de Wangari por um tempo e, assim, mantê-la sob nossa proteção enquanto segue a investigação sobre o sequestro.

– Minha mãe também sabe que estou com vocês?

– Esta é uma ação ultrassecreta. Seu pai nos convocou, mas ainda não sabemos quando a memorialista Zaila poderá ter a informação sobre sua localização.

– Vocês já estavam esperando que eu entrasse na nave?

– Sim! – disse a comandante. – A nave estava naquele hangar, no modo visível apenas para você. Desde o início da operação, tivemos a autorização de seu pai para acessar o seu código telepático. Quando você atacou o contraventor com o golpe de defesa pessoal, a sua pressão sanguínea elevou-se, o estado de tensão chegou a um grau alto, e nós conseguimos captar as ondas vibracionais de medo e de coragem emitidas pelo seu corpo. A partir desse instante, começamos a influenciar as suas atitudes e você foi induzida a caminhar em direção à rampa de nossa nave. Estávamos com os motores ligados, esperando pela sua entrada, e a mantivemos sob nossa influência até a decolagem.

– Como foi que tudo isso começou, e quem mandou me sequestrar?

– Nosso principal suspeito é o conselheiro Saburi. Quero contar com sua colaboração e total sigilo. Tente se lembrar de algo que ele tenha dito ou que você tenha visto nos momentos em que ele esteve em sua casa, no convívio com sua família.

– Ele é um membro importante do Conselho Popular da Nação, um descendente direto dos fundadores de Wangari. É amigo de meus pais, me conhece desde menina, por que iria querer me sequestrar?

— Assim que o ministro Malique nos procurou, pesquisamos, nos arquivos de segurança, pessoas do convívio de sua família para checarmos alguma ocorrência anterior por conduta irregular. Encontramos registros em que Saburi, por várias vezes, tentou driblar as leis de uso da telepatia, além de expressar sempre uma postura de enfrentamento a seu pai nas reuniões da União Soberana de Wangari com o Conselho Popular da Nação. Ao mesmo tempo, descobrimos uma ligação clandestina de compartilhamento de imagens do circuito interno de sua casa para os computadores dele. Tudo nos leva a concluir que ele tem culpa, mas ainda não temos todas as provas. Por enquanto, o melhor pra você é seguir conosco para a Terra. Não tenha medo, você será muito bem recebida.

Saburi

Depois dos esclarecimentos de Dalji, eu fui me acalmando e entendendo que aquela fuga não poderia ter sido diferente. A comandante me explicou ainda que tudo foi feito sem que eu soubesse do plano de resgate porque, ao cooptarem o sistema telepático de Saburi, descobriram que ele estava pesquisando a mente de minha mãe, tentando conseguir o meu acesso para me localizar. Como memorialista, Zaila precisa manter parte de seus dados disponíveis aos mestres, e Saburi, por ser da linha direta dos fundadores, pode consultar seus dados e de familiares, desde que ela autorize. No entanto, ele havia sido flagrado buscando as informações sem autorização.

Na realidade, eu nunca estive à vontade na presença de Saburi, e me assusta a forma agressiva com que ele expressa suas vontades, em alguns momentos até depreciando pessoas do nosso convívio. Ele é contemporâneo de meu pai, beirando os sessenta anos de idade, e seus ascendentes eram quenianos. Saburi já havia sido ministro em Wangari, mas acabou destituído, pois seus planos de exploração das riquezas naturais, como a extração de minério do solo, uso de substâncias tóxicas para lapidação de pedras preciosas, corte indiscriminado de madeira, e outras formas de acumular riquezas não foram aceitos. Todas as vezes em que ele apresentou suas propostas recebeu votos negativos, pois elas estavam baseadas em procedimentos que já haviam sido testados antes na Terra, com histórico de resultados danosos à saúde do planeta. Entretanto, pela importância de sua ascendência, lhe foi reservado um lugar cativo no Conselho Popular da Nação. A União Soberana de Wangari, da qual meu pai é um dos ministros, é a instituição que responde pela administração da nossa grande cidade, mas o Conselho Popular da Nação é o seu fiscalizador. O ministro Malique, meu pai, vem sendo reeleito já há três mandatos. A votação entre ministros e conselheiros é secreta, e seu nome vem recebendo maioria expressiva de aprovação, acredito que pelo cuidado com que ele toma decisões públicas, priorizando o bem-estar do povo e a preservação ambiental do planeta.

Já Saburi, por diversas vezes, teve um comportamento controverso diante das autoridades, e suas atitudes geraram desconfiança quanto à retidão de seus propósitos. Neurocientista e especialista em Física Quântica, ele é fortemente afetado por um ressentimento, um desejo de vingança, que nunca conseguiu superar. Seus antepassados tiveram uma vida sofrida na África, e muitos deles morreram em guerras civis no Quênia. Por décadas, as gerações se sucederam enfrentando dificuldades financeiras, até que um dos familiares conseguisse entrar num programa espacial como engenheiro, abrindo caminho e deixando um legado de carreiras bem-sucedidas na área científica. Saburi "pegou o bastão", estudou muito e tornou-se um cientista conceituado. Ultimamente, ele parecia estar entrando num terreno perigoso, sem controle de si mesmo, enfrentando os outros membros do conselho e querendo impor à força uma política com perfil ditatorial para Wangari. Obcecado pelo desejo de controlar o futuro, Saburi faz visitas periódicas a Gerard, um vidente em que ele confia e cujas previsões, pela própria natureza dessa manifestação, se adaptam a interpretações pessoais. Numa dessas consultas, Gerard lhe disse que eu, a filha do ministro Malique, tinha grande potencial para alcançar notoriedade como estadista. Na mente conturbada de Saburi, a revelação soou como uma ameaça aos seus ambiciosos planos de poder. A partir de então, me isolar ou me destruir por completo havia se tornado uma meta para o conselheiro.

O sequestro

Desde o meu sequestro, nos dias que se seguiram, não se falava em outra coisa nas ruas e nos centros de aquisição e trocas, ou ainda nos jardins, praças e espaços culturais de Wangari. Eu havia sumido fazia quase uma semana, depois de um passeio com meu amigo Akin pela orla do Grande Lago. Meu rosto estava espalhado por toda a cidade, em telões, aparelhos de TV, estações de veículos voadores, em áreas de circulação de pedestres, monociclos e no interior de todo tipo de transporte coletivo. No casarão redondo, com janelas de um vidro levíssimo, composto de material reciclado inquebrável, meus pais buscavam conforto um no outro. Eles não deixavam que seu amor se perdesse, apesar dos traumas e de alguns desentendimentos comuns entre casais. Passados precisamente cinco dias do sequestro, minha mãe já havia chorado muito. Naquele início de noite, ela tomava um chá calmante de ervas enquanto esperava por Akin, meu melhor amigo, para ouvir mais uma vez o relato detalhado sobre o que havia acontecido na orla. A campainha tocou e, pelo telão interno, ela viu a figura do rapaz, que atendeu prontamente ao seu convite para jantar. Akin e eu éramos amigos desde a infância, e, quanto mais dias passavam, mais pesava sobre seus ombros a circunstância de ter sido o único a testemunhar o ocorrido. Na tarde do sequestro, resolvemos, como de costume, caminhar pela orla do Grande Lago e conversar sobre nossos planos e futuras vitórias. Akin se preparava para avançar em seus estudos sobre equipamentos de robótica e instrumentos de navegação espacial. Eu havia me formado em Engenharia Ambiental fazia quatro anos, e gostávamos de falar sobre a variedade de aplicações da nanotecnologia na solução de problemas básicos para a melhoria do bem-estar social, além do que já conhecíamos sobre seus usos na medicina, na eletrônica e na ciência da computação.

Ainda menina, eu já tinha também muito interesse em estudar os campos vibracionais de cada criatura no universo. Nunca deixei de pesquisar as plantas e a energia que as envolve. Isso me ajudava a manter viva a lembrança de meu irmão mais velho, Rasul, que havia falecido fazia tempo, quando eu tinha seis anos e ele, oito, atingido por um raio na piscina de casa durante uma tempestade. Às vezes, na volta da escola, depois de trafegarmos em monociclos elétricos pelas pistas laterais das ruas lotadas de veículos leves flutuantes, Rasul e eu pegávamos o caminho para os bosques no entorno da cidade, e ficávamos por horas procurando plantas que se movimentavam a um mínimo toque, ou até mesmo antes de serem tocadas, reagindo à vibração e à temperatura de quem se aproximasse delas. Wangari é um planeta repleto de florestas, bosques e cobertura de gramíneas sobre montanhas e vales. As folhagens são de um verde escuro, e as flores brotam separadas por espécies, com cores que não se misturam, em canteiros naturais onde são encontradas apenas as azuis, ou apenas as vermelhas, e assim vão se revezando em grandes áreas, sob uma bruma esverdeada que permeia o espaço aberto do planeta. Respirávamos um ar de boa qualidade, e isso nos dotava de um fôlego extraordinário para atividades esportivas e brincadeiras ao ar livre. De propósito, deixávamos os monociclos em estacionamentos um pouco mais distantes e apostávamos corrida até em casa. Rasul sempre ganhava, mas nunca deixava de esperar por mim para abrirmos o portão juntos, ofegantes e às gargalhadas. Akin cresceu conosco, e passamos a infância nos dedicando aos estudos e aproveitando os dias de folga brincando livres na natureza. Depois da morte de Rasul, Akin e eu passamos a ficar o tempo todo juntos, pesquisando na biblioteca universal de Wangari ou explorando espaços preferidos dos wangarianos, como a orla do Grande Lago ou as montanhas douradas, de onde se via a cidade inteira.

Na tarde em que minha vida virou do avesso, depois da caminhada na orla, Akin e eu paramos no trecho mais alto do caminho do retorno à área urbana para contemplarmos o nascer de Maat, o único satélite de Wangari. Falávamos sobre a figura que surgia em sua superfície, que se assemelhava à de uma mulher com uma pena na cabeça, e, por isso, lhe fora dado o nome da deusa Maat, que na mitologia egípcia domina a justiça e o equilíbrio. Maat estava linda, com seu círculo completo, sobre os prédios alinhados e as luzes que começavam a ser acesas ao longo das avenidas, como se fossem fios de contas brilhantes. Estávamos tão encantados com o espetáculo no céu, que nem percebemos que a noite havia caído rapidamente. Pegamos o caminho de volta tentando listar nominalmente os amigos que eram descendentes de egípcios, pois, após o jantar, iríamos participar de uma roda de troca de informações históricas sobre a Terra, e o Egito era um país africano da antiguidade que nos despertava grande interesse. De repente, sem que tivéssemos notado sua aproximação, um veículo leve flutuante embicou à nossa frente bloqueando o caminho. O motorista encapuzado desceu, veio em nossa direção, jogou Akin no chão com um soco, colocou um grande capuz em minha cabeça, amarrou meus pulsos e me empurrou para dentro do carro, partindo imediatamente em alta velocidade. Me debati por um tempo tentando atingir o homem, mas, com as mãos amarradas e sem enxergar nada ao redor, não pude lutar.

A memorialista

Akin já havia relatado o ocorrido inúmeras vezes e, ainda assim, meus pais insistiam que ele fizesse um esforço para tentar lembrar, por exemplo, se tínhamos avistado alguém na redondeza, ou qualquer outra coisa que lhes permitisse identificar de onde teria saído aquele veículo, ou para onde eu poderia ter sido levada. O rapaz tentava colaborar, refazia todo o trajeto na cabeça, mas à sua memória só vinha aquilo que ele já havia dito.

– Foi muito rápido – era o que Akin repetia sem parar – ,o homem veio pra cima de mim e o soco me levou ao chão. Minha visão foi se turvando e, antes de desmaiar de vez, ainda pude ver Karima sendo encapuzada e jogada pra dentro do carro. Ela se debatia, mas não adiantou. Depois disso, eu só me lembro do carro trafegando rápido, mais alto que os outros, piscando suas luzes no horizonte.

– Estou angustiado e decepcionado comigo mesmo. Fui fraco, e não consegui proteger Karima...

Minha mãe tentava acalmar Akin com seu abraço e lhe dizia que ele não tinha culpa. De vez em quando, ela parava de andar de um lado para o outro da sala, sentava-se alinhando a coluna em uma confortável cadeira de bambu e tecido, e meditava entoando mantras, tentando esvaziar o peso de uma grande quantidade de dados que era de seu ofício memorizar. As pessoas que tinham facilidade em memorizar datas, fatos históricos e acontecimentos importantes poderiam trabalhar como memorialistas, com a função de guardar na mente, em forma de relatos, o máximo de informações que constavam das redes de computação oficiais. Seu cérebro era uma verdadeira biblioteca digital, dotada de informações e imagens. Os memorialistas eram protegidos por agentes da Segurança de Wangari, por desenvolverem uma atividade essencial e sigilosa. Esses alto-habilidosos tinham que manter um canal aberto para que membros credenciados pudessem fazer consultas telepáticas e acessar dados, caso acontecesse uma pane geral nas máquinas. Num eventual ataque nuclear iniciado por outro planeta, ou por um desastre natural, por exemplo, os memorialistas teriam, assim como os membros da União Soberana, prioridade na preservação de suas vidas. O trabalho era exaustivo, e minha mãe procurava colocar a mente em descanso sempre que podia. A presença de Akin lhe dava conforto para enfrentar aquele momento de angústia, pois, desde a morte de Rasul, ela transferira para meu amigo um pouco do amor materno que tinha de sobra em seu coração.

    Para estranhamento de Akin e de minha mãe, desde a chegada do rapaz, meu pai mantinha-se um pouco afastado, ora isolado em sua biblioteca, ora caminhando no jardim, e quase não falou durante o jantar. O ministro Malique, com certeza, escondia alguma coisa. O afastamento e o silêncio do ministro à mesa só confirmavam a existência de algo misterioso em seu comportamento. Assim que Akin foi embora, minha mãe avisou ao meu pai que iria dormir no meu quarto, mostrando-se triste e, ao mesmo tempo, revoltada com as limitações que lhe eram impostas por causa de sua função. Ela estava impedida de ter informações sobre casos como o meu, que envolviam investigações sigilosas. Então, só lhe restava esperar pelas notícias oficiais vindas das autoridades.

Lembranças

Com o passar das horas, a percepção de que nada mais dependia de mim, até certo ponto, me proporcionava um estado de calma. Claro que eu estava sentindo muita falta da minha família e da minha casa, mas me preocupava também com o trabalho que havia deixado para trás em Wangari. O meu projeto de ampliação do recurso de ampla filtragem automática de água, para que nenhuma família ficasse sem água potável, era urgente. Mas, impedida de recorrer ao meu canal telepático, como eu poderia dar orientações aos engenheiros que trabalhavam comigo? Em minha cabeça as coisas ainda estavam um pouco embaralhadas. De vez em quando, vinham *flashes* das horas aflitivas daqueles dias, do momento em que fui levada e também do tempo em que permaneci como prisioneira no quartinho ao lado do hangar abandonado. Na manhã do quinto dia, quando o homem encapuzado resolveu entrar no cativeiro para me entregar a bandeja de comida, em vez de passá-la por uma abertura na parte de baixo da porta como vinha fazendo antes, não pensei muito, apenas me concentrei e o atingi com um golpe de defesa pessoal que lhe fez desmaiar. Corri, atravessei o galpão, cheguei ao hangar e entrei na primeira nave que estava estacionada. Pensei que pudesse ficar escondida por um tempo, sair em seguida e continuar minha fuga até a cidade. Agora sei o porquê de eu ter feito tudo de outra forma. A influência da FSEI se dava num plano mental que controlava o medo e a ansiedade, e minhas ações foram conduzidas apenas pela lógica. De certa forma, isso me manteve protegida.

— Nos desculpe por termos agido sobre sua mente, mas era o procedimento correto, já que sua vida estava sob grande ameaça. Tínhamos que fazer tudo para protegê-la, conforme prometi ao ministro — me disse a comandante, verificando se eu estava ainda muito abalada e me convidando a sentar numa cadeira um pouco atrás do painel de controle.

— Você já conhecia meu pai?

— Estivemos juntos em algumas reuniões dos membros da União Soberana com a Força de Segurança. São encontros muito reservados, já que tudo o que é dito ali é considerado como informação sigilosa. Nem os conselheiros podem participar, pois, sempre que somos convocados, é porque alguma situação em Wangari requer uma investigação que pode envolver também a Terra ou até mesmo a ocupação em Marte. Tenho trabalhado com frequência no espaço, em diferentes frentes. Estou em meu último ano no acompanhamento da migração de cidadãos da Terra para Wangari. A cada período de quatro anos o comandante é trocado, por ser uma função de extremo risco que não deve ser executada por muito tempo pelo mesmo oficial. Não são raros os casos de pessoas que tentam sair clandestinamente da Terra para viver em seu planeta e, muitas vezes, enfrentamos ataques violentos.

Dalji tinha uma postura profissional que impressionava, mas havia uma ternura no seu jeito de falar que inspirava confiança. Com delicadeza, porém não me deixando à vontade para continuar a conversa, a comandante me aconselhou a ficar descansando no alojamento e prometeu que continuaríamos o assunto mais tarde. De volta ao pequeno quarto, pensei em meus pais e em Akin. Minha mãe, com certeza, devia estar muito abalada. Quando Rasul morreu, eu era bem pequena, mas sei que ela precisou de apoio psicológico profissional para se reerguer. Lembro o quanto ela mudou naquela ocasião. De uma hora pra outra, minha mãe não se parecia mais com aquela imagem que eu tinha de uma mulher sempre muito bem arrumada e com um sorriso acolhedor nos lábios. Ela foi tomada por uma tristeza infinita, que lhe roubou a vaidade, o gosto por passeios, mal arrumava os cabelos e nem batom usava mais. Minha avó Josepha, mãe de minha mãe, passou um longo período vivendo o luto junto da filha. Ela vinha nos visitar quase que diariamente. Eu ainda não entendia muito bem por que uma criança morria. Aos seis anos eu achava que a morte só chegava para as pessoas velhas. Como meu irmão estava morto e minha avó estava viva, andando por todos os lugares e bem lúcida? Toda vez que eu me aproximava de minha avó Josepha, olhava para a pele da sua mão, e comparava com a minha. Era uma pele fina, brilhante e bastante enrugada. E eu me imaginava velha como ela. Diante do espelho, fazia caretas e curvava o corpo, imitando o perfil dos idosos. Tenho lembrança de como Rasul e eu andávamos juntos pela casa, devagar, nos fingindo de anciãos. A velhice era uma fase da vida que respeitávamos, mas, para nós, enquanto crianças, ela era algo tão distante que só a assimilávamos pelo olhar lúdico.

Minha mãe demorou a aceitar a perda do filho e passou por dias dolorosos, brigando com meu pai toda hora, por qualquer coisa, como se a culpa de tudo fosse dele. Acho que ela nunca se conformou por ele não ter mandado Rasul sair logo da piscina, assim que começou a tempestade. Naquele dia quente, fechado em seu escritório, participando de uma conferência a distância, o ministro acreditava que Rasul estivesse dentro da casa. Minha mãe havia me levado ao consultório dentário para uma consulta periódica, e o robô que preparava o almoço na cozinha não tinha programação para vigiar os pequenos. Depois do acidente, foi preciso um longo tempo para que meus pais voltassem a ocupar o mesmo quarto.

Sozinha no alojamento, muitas lembranças me atravessavam e eu estava bastante cansada, inclusive de tanto pensar. Estendi meu corpo na cama que, embora tivesse um colchão fino, era bem confortável. Pela primeira vez, após vários dias, pude dormir um sono mais profundo, repleto de sonhos, alguns felizes, outros premonitórios.

Sonhos

Acordei de repente, sem saber se tinha dormido muito ou pouco, mas, antes de abrir completamente os olhos, tentei me concentrar e recuperar o sonho em que, ao lado de meus pais, eu recebia orgulhosa as honras de ótimo desempenho no "departamento de criação de mecanismos facilitadores para recursos básicos", entregues pelos mestres da minha universidade. Sentei na beirada da cama ainda um pouco confusa, me esforçando para trazer de volta as imagens de um sonho anterior, em que Rasul aparecia angustiado, pedindo que eu me escondesse entre as árvores. Ele apareceu já rapaz e, mesmo sem nunca ter feito a projeção digital de seu rosto para a idade adulta, eu sentia que aquele era o meu irmão.

Deitei de novo, pensando em dar mais uma cochilada; no entanto, a claridade que inundava o ambiente me fez levantar de vez. O alvorecer vinha surgindo em etapas de um vermelho intenso ao laranja. Fiquei observando pela janela até que o dia se consolidou com um tom claro, vibrante, mesclando matizes quentes. E era tão incrível a sequência de cores e formas brilhantes lá fora que eu já não sentia mais o cansaço acumulado. No pequeno banheiro do alojamento, não faltava nada. Em um compartimento embutido havia o aparelho de limpeza dental. Na cabine de banho, ao apertar um botão azul, saíam jatos de água programados para a limpeza do corpo em três etapas alternadas de cima para baixo. Imaginei o trajeto da água que entrava pelo ralo, seguindo pelos tubos e armazenada para reaproveitamento nas descargas da nave. O botão vermelho era para o vapor morno da secagem. Me vesti com a roupa que encontrei no armário do alojamento, igual à de todos os membros da tripulação, feita de um tecido poroso, porém muito resistente, e que se ajustava bem ao corpo. Eu estava curiosa para rever os meus anfitriões. A falta de gravidade virou um divertimento.

Quando pequena, minha mãe levou a mim e a Rasul várias vezes ao Centro de Pesquisas Espaciais de Wangari, onde as crianças podiam vestir roupas de astronautas e brincar, aos pares, na sala de simulação de microgravidade. Nós dois dávamos cambalhotas no espaço, ou rodávamos com nossas mãos unidas num corrupio em câmera lenta. De frente um para o outro, arregalávamos nossos olhos negros como jabuticabas, e tínhamos a certeza de que nunca nos separaríamos. Depois de umas cabeçadas nas paredes e cotoveladas nos estreitos corredores da nave, eu já estava craque em flutuação. Era urgente que eu me acostumasse com tudo, para aproveitar bem aquela viagem que ainda demoraria quatro meses até a chegada à Terra.

    Nessa minha primeira caminhada exploratória na AIAPA 273, encontrei Erasto num laboratório isolado por vidros, onde o geógrafo trabalhava com amostras de solos de diferentes planetas. Ao me avistar, ele abriu a porta do aquário e, gentilmente, me convidou a entrar. Ele me deu explicações sobre seus estudos e me mostrou um punhado generoso de solo terrestre sobre um balcão, observando o quanto a terra apresentava danos por sua exposição contínua aos raios ultravioleta e ao ressecamento pela falta de chuvas. Seus cabelos pretos e crespos refletiam a luz avermelhada de uma lâmpada acima do balcão onde ele examinava o raro material. Erasto era um homem de uns quarenta anos, e tinha uma voz linda, de acentuado tom grave.

— Veja esta amostragem, Karima. É uma coleta de dois séculos atrás, quando a escassez de água na Terra chegou a um percentual crítico, e isso prejudicou drasticamente a produção de alimentos. As florestas estavam devastadas, e a falta de chuvas fez com que ricos e pobres se enfrentassem nas cidades, disputando um copo de água potável. Nos comparativos com as amostras de hoje, concluímos que a recuperação vem acontecendo lentamente, e as previsões são de que, aos poucos, novas aglomerações urbanas poderão ser construídas em regiões onde antes não mais seria possível erguer sequer uma pequena vila. Grande parte da área montanhosa da Terra foi muito afetada, os espaços urbanos ficaram comprometidos e há pessoas no planeta que até hoje não acreditam na sua recuperação. Por isso querem entrar em Wangari a qualquer custo, mesmo sem o credenciamento necessário. Mas acho que logo poderemos dar boas notícias a todos, pois, se tudo der certo, em tempo médio teremos indicativos de recuperação do solo e de parte da vegetação. Será como um longo tratamento médico de uma doença agressiva, num organismo que começa a reagir, dando os primeiros sinais de cura.

Origens

A comandante Dalji veio ao nosso encontro no laboratório e quis fazer parte da conversa. Ela explicou que o trabalho da FSEI incluía a fiscalização sobre quem estava autorizado ou não a atravessar a fronteira interplanetária entre a Terra e Wangari, e que o meu trânsito era uma exceção, já que o afastamento era a única forma de me manter fora de perigo. Fiz um agradecimento sincero, demonstrando reconhecimento pela consideração a mim e à minha família e perguntei sobre quanto tempo eu teria que ficar fora do meu planeta. Dalji me pediu que tivesse calma e que vivesse os próximos dias sem pensar no tempo, apenas relaxando e aproveitando para observar o espaço, ler e acompanhar as pesquisas. No refeitório, Julião havia preparado a mesa com quatro lugares para o almoço, e tivemos uma conversa animada. Eles quiseram saber sobre minhas origens e principais referências que nortearam minha vida até então. Comecei timidamente o meu relato, depois fui me sentindo à vontade, com a certeza de que era genuíno o interesse daquelas pessoas por mim.

– Os meus antepassados mais distantes nasceram na Nigéria, o país de maior população do continente africano. E eu tenho um grande orgulho disso. Meus pais me falavam que foi na África que tiveram início as civilizações. Sempre que posso, acesso arquivos antigos e venho descobrindo fatos e pessoas muito interessantes daquele lugar. Procurei por detalhes sobre Nelson Mandela, Martin

Luther King, Bispo Desmond Tutu e outros que fizeram coisas tão incríveis que seus nomes estão na história da Terra.

Minha mãe gostava muito de falar sobre o doutor Denis Mukwege, que era congolês e também viveu no século XX. Ele não ficou tão famoso, mas se dedicou à sobrevivência e recuperação de mulheres vítimas de violência sexual durante as guerras na República Democrática do Congo. Meus pais guardam o nome do doutor Denis Mukwege como referência, por ele ter priorizado o seu conhecimento médico, em meio ao horror da guerra, para uma causa tão essencial.

Tanto Dalji quanto os outros oficiais me contaram que eles também haviam crescido ouvindo as histórias daquelas personalidades africanas. Dalji e Erasto eram nascidos na Terra, exatamente naquele continente. Julião, também terráqueo, estava originalmente ligado à América Central.

Continuei meu relato querendo muito que eles entendessem que o meu interesse para melhorar a vida das pessoas vinha da educação que recebi de meus pais, e que as causas humanitárias motivavam a atuação deles na política e pelas garantias sociais. Embora Wangari já conte com serviços de água potável, energia, esgotamento sanitário, transporte e saúde desde muito tempo, nem todos estão usufruindo das melhores estruturas de fornecimento desses serviços. Escolhi a minha profissão porque quero contribuir com a melhoria dos sistemas de atendimento, e todos os projetos de engenharia ambiental que estou desenvolvendo são fundamentados em justiça social.

Falar de minhas referências me fez desejar imensamente ver minha mãe e saber como ela estaria agora. Pedi que me dessem licença por um segundo, flutuei até o corredor, fechei os olhos e quis muito acessar a memorialista por telepatia, mas Dalji, ao me encontrar em estado de concentração, me aconselhou a não ceder e a não tentar contato com ninguém. Enquanto isso, a nave seguia em altíssima velocidade e, fisicamente, a distância entre mim e minha família se tornava cada vez maior.

Em Wangari, meu pai já tinha recebido da comandante Dalji a mensagem de que eu estava bem e ambientada com sua equipe. A noite havia sido de sobressaltos, pois ele ficou incomodado com o fato de não ter podido ser gentil com Akin e com Zaila, e de não ter ficado mais próximo dos dois, como gostaria. Pela manhã, ele tranquilizou minha mãe, falando sobre a confirmação de que eu estava a salvo. Contou que eu teria que ficar um tempo longe. Com os olhos marejados, pediu perdão porque não poderia dizer mais nada, por conta da minha segurança, e da segurança deles próprios. A memorialista, com seu dom sensível, leu nos traços de meu pai a verdade, e a certeza de que ele sabia do que estava falando. Duas lágrimas correram pelo rosto da minha querida Zaila, que olhou fixamente nos olhos do ministro e depois sorriu levemente, num gesto de assentimento e gratidão. No seu íntimo, ela já sabia que eu estava me distanciando, e pedia aos Orixás que me protegessem em meu caminho.

O obsessor

A noite anterior para Akin também não tinha sido nada tranquila, ao contrário. No retorno à sua casa depois do jantar com meus pais, ele deitou-se para dormir, porém, todas as vezes que tentava pegar no sono, na fronteira entre o estar dormindo ou acordado, percebia uma voz masculina imperativa, lhe dando comandos e querendo exercer domínio sobre seu subconsciente. Akin relutou o quanto pôde, estava com medo de dormir, mas foi tomado por uma exaustão que o fez mergulhar em sono profundo.

A voz começou a agir, alimentando a sua ambição, fazendo emergir sentimentos de inveja e cobiça. Karima era sua amiga sim, e, dotada de personalidade forte e obstinada a lutar pela população, ela tinha todas as chances de ser uma mulher de destaque, e de tornar-se a futura líder da União Soberana de Wangari. Mas e ele? Como tinha sido a sua vida até ali?

A voz continuou sussurrando, com um poder de penetração e convencimento cada vez maior.

Akin havia nascido na Terra, tinha a mesma idade de Rasul, mas não fora criado pelos pais. O menino foi dado em adoção a um casal de intelectuais que tinha autorização para o deslocamento. Seus pais biológicos, por falta de formação superior e sem nenhum tipo de especialização, tiveram que permanecer na Terra. Saburi, que ainda hoje é um dos encarregados pela aprovaçao dos vistos, negou-lhes a documentação, mas não perdeu de vista o menino, pois criou uma espécie de apego ao pequeno. Akin tinha dois anos quando fez a viagem e foi entendendo, conforme crescia, que não veria mais seus pais verdadeiros. Para acompanhar de perto o seu crescimento, o conselheiro tornou-se amigo dos pais adotivos e tratava Akin como um afilhado. Ele tinha em mente poder um dia ser o tutor de Akin, mesmo que para isso tivesse que apelar para uma solução extrema ou inescrupulosa para afastá-lo dos pais, prepará-lo e apresentá-lo à sociedade como seu herdeiro. Saburi considerava que ele próprio estava ficando velho demais para disputar cargos mais altos em Wangari, e cobiçava chegar ao poder por intermédio do rapaz. Para Akin não faltou o amor dos pais adotivos durante a infância e a adolescência, mas ele carregava uma tristeza por não poder revelar sua origem sem que isso o colocasse em uma posição menos favorável do que a dos seus amigos, descendentes de famílias com pais que ascenderam socialmente pelo trabalho e por terem se dedicado aos estudos. A amizade de Akin comigo e com Rasul era preciosa, pois ele sabia que, para nós, não fazia a menor diferença se sua ascendência era nobre o não. A única forma com que nos relacionamos foi sempre como se fôssemos três irmãos, e incentivávamos uns aos outros, vibrando com nossas conquistas. No entanto, Akin estava agora se sentindo extremamente sozinho. Ele não podia mais contar com a minha companhia para circular entre os grupos sociais, e acreditava que a proximidade com os filhos do ministro Malique, aos olhos dos outros, o credenciava como alguém respeitável. Sem mim e sem Rasul, meu amigo sentia-se perdido, afundando-se em sua própria insegurança. Aquela voz estava lhe afetando tanto que chegou a pensar que ele próprio a estava produzindo inconscientemente. Não seriam os seus medos que estariam trazendo essa espécie de criatura que surgia no escuro? A voz se aproveitava de sua fraqueza e lhe fazia perguntas para as quais ele não tinha respostas, e que lhe traziam cada vez mais apreensões.

— Qual é o reconhecimento que dão à sua inteligência? Sua infância não foi como a de Karima, que sempre recebeu só elogios. Melhor seria se ela não fosse encontrada. Mas você precisa descobrir onde ela está, e agir racionalmente para deter a sua ascensão. O seu momento é agora. Que homem você será para seus filhos?

Akin sabia que aqueles questionamentos não faziam parte do que ele sentia verdadeiramente. Quando dormia, ele entrava numa região sombria, de tristeza e rancor, e o despertar lhe exigia um esforço para desprender-se daquelas sensações ruins. Numa dessas noites, antes de tentar dormir, ele sentou-se na cama, e, como se respondesse à voz, soltou um grito abafado, de quem não queria ouvir mais nada. Akin não pregou olhos madrugada adentro, continuando angustiado até o nascer do dia. O rapaz sabia que estava passando por um processo de dominação, e não tinha certeza se ia conseguir controlar aquela "inteligência" que começava a tomar conta de sua mente lhe despertando para desejos que ele nunca tivera antes, e que o assustavam, justamente porque ele não os reconhecia. Mas, a partir daquele dia, embora com um pouco de medo, ele resolveu dar espaço ao outro que se aproximava durante a noite. Ele precisava saber mais sobre aquele mistério, e até onde aquilo poderia chegar.

Planos

Saburi era um grande mestre no conhecimento da telepatia. Passou anos aprimorando-se, empenhado em alcançar com perfeição e rapidez o domínio dessa habilidade de que já éramos dotados. A União Soberana de Wangari, juntamente com o Conselho Popular da Nação, determinou regras que compunham um pacto de ética para a prática saudável da telepatia. Como princípio básico, a entrada na mente de outra pessoa só poderia acontecer com o consentimento dela. Inclusive os memorialistas, que tinham o dever de deixar um canal aberto para consultas de emergência, tinham que dar a permissão antes de o acesso acontecer. Saburi tentava burlar essa regra, e foi denunciado diversas vezes. Sempre me perguntei por que então ele, embora agindo de forma tão contrária aos valores pactuados pela comunidade, continuava sendo tolerado e tendo voz entre os dirigentes de Wangari?

Os quenianos eram prestigiados porque tiveram um papel importante na fundação do novo planeta, pois, entre outras colaborações, aplicaram ali o seu conhecimento do uso eficiente do oxigênio pelo corpo humano, um dos fatores que tornaram seus atletas vitoriosos, entre muitas e muitas gerações, em competições mundiais de diversos tipos de corrida na Terra ao longo de séculos. Suas técnicas foram fundamentais para a adaptação do sistema respiratório dos primeiros habitantes de Wangari. O nosso maior projeto de preservação da natureza também é de origem queniana. O próprio nome do meu planeta é uma homenagem à ambientalista, Wangari Maathai, que viveu entre os anos 1940 e 2011, uma mulher fantástica que ficou conhecida no mundo pela sua luta para a conservação das florestas e do meio ambiente. Foi dela a iniciativa de plantar 30 milhões de árvores no Quênia no movimento conhecido como Cinturão Verde Pan-Africano. No entanto, Saburi sempre questionou o nome de Wangari, como personalidade merecedora de figurar no universo como planeta, já que não concordava com suas diretrizes de preservação da vegetação nativa. Enfim, esse homem parecia se esforçar para estar sempre contra tudo e todos, e ia se tornando uma ameaça concreta à estabilidade da nossa harmonia. Agora, não satisfeito em ter me sequestrado, estava colocando em prática o seu projeto de dominação sobre Akin, para submetê-lo aos seus métodos inapropriados na busca por poder.

Saburi via meu pai como um obstáculo difícil de ultrapassar. Porém, aos olhos do conselheiro, o poder do ministro se encerraria nele próprio se não tivesse descendentes. Rasul era quem tinha tudo para ser transformado no jovem vitorioso e preparado para ocupar o lugar do ministro mais conceituado da sociedade de Wangari no futuro. Ele era um menino promissor, muito inteligente, generoso, que se colocava sempre disponível para atender aos ensinamentos dos mais velhos e passá-los adiante, tanto na comunidade escolar quanto nas reuniões dos centros de família. Com a ausência de Rasul, a atenção de Saburi se concentrou sobre mim, pois eu crescia com os mesmos atributos do filho mais velho, e, naturalmente, seria a promessa de uma futura indicação ao centro do poder administrativo do planeta. A confirmação lhe havia sido revelada anos antes, quando Gerard o procurou para dizer que minha imagem apareceu no centenário alguidar de barro que ele mantinha num altar em seu quarto. O que o sensitivo disse ter visto na água foi uma cerimônia com lideranças importantes em que eu recebia honrarias de soberana. Depois de ter me deixado escapar entre os dedos, Saburi estava totalmente empenhado em achar um jeito de me encontrar e de me tirar de seu caminho para sempre.

Embora sabendo do envolvimento do conselheiro no meu sequestro, meu pai ainda não podia tomar nenhuma providência contra ele, antes de reunir provas definitivas. Seria uma falta muito grave se o ministro lançasse uma acusação, sem provas, a um membro importante da comunidade. O plano traçado secretamente com a FSEI, em coordenação com a comandante Dalji e sua equipe, precisava prosseguir, mas eu tinha que estar fora de Wangari, protegida na Terra, até que o contraventor fosse denunciado e exilado para outro planeta, conforme os códigos de segurança interplanetários. Isso não seria nada fácil, pois Saburi estava desbravando com êxito as fronteiras de nossas habilidades mentais, mesmo aquelas que cientistas dos dois planetas ainda não tinham acessado. Ele estava certo de que dominaria Akin, tinha pressa em agir, e não voltaria atrás em seu plano maléfico.

A fé

Na AIAPA 273 o ambiente era harmonioso, com a tripulação desenvolvendo seus afazeres e eu mais aprendendo do que trabalhando de verdade. Todas as atividades tinham um propósito e a equipe procurava executar o planejamento sem grandes improvisos. O oficial Julião, como eu imaginei, era de ascendência maia, uma civilização indígena muito antiga, originária da América Central, que se desenvolveu espalhando-se pelo México, Belize e Guatemala. O povo era notável pelo conhecimento da astronomia e da matemática, e já se destacava mil anos antes da Era Comum. Julião era bem humorado, embora permanecesse longas horas diante do computador lidando com uma infinidade de tabelas e cruzamentos numéricos. De vez em quando, levantava e ia olhar o espaço pela janela. Foi assim que o encontrei numa tarde, em um dos corredores da nave, quando já tínhamos quase dois meses de viagem.

– Olá, Karima – me saudou animado –. Você deve estar cansada dessa viagem, não é? Pelos meus cálculos, se tudo correr como o esperado, em mais uns sessenta dias estaremos pousando na Terra. Em outros tempos, esta rota não poderia ser feita em menos de um ano. Veja só! Avançamos bastante no último século, graças à ciência da computação e adaptações da mecânica, da robótica e da física. Agora é possível percorrer essa distância de mais de cinco bilhões de quilômetros em quatro meses.

Julião era matemático e físico, e elaborou um importante plano de eficiência de combustível que, entre outras coisas, permite manter as naves em movimento constante entre duas órbitas diferentes, já que cada sistema solar tem a sua. Está a cargo dele a utilização dos teoremas e leis da mecânica em uma viagem longa como a que estamos fazendo, de Wangari até a Terra. Depois de anos se destacando em suas funções, Julião e Erasto foram convidados pela *Aaye Ile-işẹ Agência Pan Africana* a desenvolverem no espaço seus projetos inovadores, sob orientação de técnicos especializados e da comandante Dalji, a oficial que esteve mais horas de sua vida no espaço do que na Terra.

A cada dia da viagem meu sentimento de gratidão era cada vez maior por eu estar ao lado de pessoas realmente especiais. Os três astronautas, desde jovens, abriram mão de terem uma vida convencional, com parceiros e filhos, em casas bem montadas e festas nas datas comemorativas. Eles se dedicam integralmente à pesquisa, lidando com as surpresas que lhes são apresentadas em cada viagem. Uma das situações que, mesmo prevista e calculada, pode representar um grande risco, é a chuva de meteoroides. Segundo o aviso da base terrestre da AIAPA, uma dessas estava vindo em nossa direção, e não haveria tempo de nos desviarmos. Tive um pouco de medo e estranhei não ter ouvido o computador, através do qual eu já estava acostumada a receber instruções. Mas a voz mecânica veio, de repente, avisando que seríamos atingidos em aproximadamente meia hora, por uma série de objetos que derivam de cometas ou da colisão entre asteroides. Ainda que sejam bem menores do que um asteroide, os meteoroides são maiores do que os fragmentos de poeira estelar, e podem sim causar estragos à nave. Seguimos as instruções e nos colocamos nas posições indicadas a cada um, com a comandante e os dois oficiais no controle geral, e eu sentada um pouco mais atrás deles, todos muito bem afivelados pelos cintos de segurança e mantendo as mentes tranquilas dentro dos capacetes.

A tempestade passou, nos sacudiu um pouco, mas, por sorte, não tivemos avarias na nave. Foram vinte minutos de tensão em que me vi implorando baixinho proteção de Iansã, orixá dos ventos, raios e tempestades, para que nada nos atingisse e pudéssemos continuar em nossa rota. Não é com frequência que faço pedidos, mas acredito nas divindades que, mesmo de origem muito antiga, foram cultuadas por meus bisavós, e o são pelos meus avós e pais, descendentes da nação Iorubá. Quando me vejo em alguma situação arriscada, ligada às forças da natureza, imediatamente o meu coração transborda em fé, e reconheço que preciso de uma bênção. Então a conexão se estabelece, e a ajuda vem imediatamente. Agradeci, com a saudação "Eparrei, Iansã!".

Os cultos religiosos se fixaram em Wangari junto com os fundadores. A fé se manifestou desde o início, quando foram criados no novo solo os primeiros templos, casas de candomblé e umbanda, mesquitas e igrejas. Cada família tem um dia na semana livre de suas atribuições de trabalho, ou folga das escolas, para ir ao seu local de fé e fazer pedidos, agradecimentos ou simplesmente renovar sua crença. Minha família e eu estamos sintonizados com os orixás, o nosso panteão de divindades às quais recorremos e homenageamos. Depois do meu desaparecimento, meus pais intensificaram as suas idas à casa de candomblé, pedindo fervorosamente por mim. Em um desses momentos, eles receberam de uma entidade uma mensagem que não sabiam como interpretar, mas que tinham certeza de que era importante: "A menina tem que tomar cuidado com o que está sobre sua cabeça. Ela deve ficar atenta".

A astronauta

No espaço eu dividia meu tempo, ora acompanhando os trabalhos de Erasto e Julião, ora contemplando o espetáculo constante de brilho e de cores, com o desfile de corpos celestes em transito mágico. Por vezes eu me aproximava de Dalji, que gostava de contar histórias curiosas do povo da Terra, como a da primeira astronauta negra, Mae Carol Jemison, uma afro-americana, nascida no Alabama, no século XX. Aliás, os Séculos XX e XXI foram de grandes conquistas no planeta azul em torno da exploração espacial. Os avanços vieram aos poucos e só em meados do Século XXII é que as primeiras naves iniciaram a exploração de outro sistema solar na Via Láctea, documentando a existência de um grande número de exoplanetas.

— Para todos que se dispõem a trabalhar com a ciência e a tecnologia espacial, é importante conhecer a história de como tudo começou na Terra. Foi lá que eu nasci, cresci e tenho orgulho das descobertas que ficaram registradas ao longo de séculos, e que fazem parte da história positiva da humanidade.

Quando a comandante fala sobre a Terra, percebo que, apesar dos erros cometidos pelos homens que não valorizaram a preservação do planeta nem respeitaram a vida de seus descendentes, dos animais, das florestas, mares e rios, ela guarda referências de pioneirismo e força, e destaca os africanos e seus descendentes. Ao falar sobre Mae Carol

Jemison, os seus olhos castanhos brilham, sua voz fica mais vibrante, e ela se enche de entusiasmo.

— Mae Carol era médica e engenheira, e participou como especialista de uma missão na América, a bordo do ônibus espacial Endeavour, orbitando a Terra por oito dias. Isso foi no ano de 1992, quando Mae tinha 36 anos. Ela nasceu nos Estados Unidos, numa época em que aquele era um dos países mais importantes do planeta e onde a discriminação racial prejudicou muitos negros. Vivia-se sob uma política de supremacia racial branca, e não era fácil para uma pessoa negra desenvolver seus estudos e formar-se como astronauta, por exemplo. Os sonhos profissionais de alunos negros sequer eram considerados pelos professores. Há uma frase de Mae Carol que repercutiu como um sábio conselho e que acendeu em muita gente uma espécie de pavio, um estímulo a seguir em frente. Ela dizia que alguma arrogância era necessária para que mulheres, e o que eles chamavam de minorias, tivessem sucesso em uma sociedade dominada por homens brancos. Além de estudar medicina e engenharia, Mae Carol, a primeira astronauta negra de que se tem registro histórico, diplomou-se também em estudos africanos.

Nessas conversas com Dalji eu aprendia muito, e adorava o seu jeito meio professoral de contar as histórias do planeta dos meus antepassados. Ela me fazia lembrar dos mestres que eu mais admirava, e pensei no quanto seria bom ter Akin ali conosco. Nas primeiras etapas do período escolar, Akin se acomodava ao meu lado na turma, em nossas mesinhas e cadeiras arrumadas em círculo e ficávamos prestando atenção ao que nos era ensinado e reclamando dos alunos barulhentos. Éramos os chatos da turma. Ele é um amigo tão próximo, que nem sei como vou atravessar esse tempo longe dele. Akin me faz sentir apoiada, me estimula nas minhas metas, e eu retribuo da mesma forma. Sua família adotiva era angolana e ele tinham uma herança cultural e espiritual ligada ao catolicismo. Com seus pais, ele frequentava missas e outros rituais como casamentos, batizados e grupos de oração, sentado em um banco na igreja, diante da figura de um Jesus Cristo preso pelas mãos e pés a uma cruz.

Era numa igreja que Akin estava neste momento, pedindo perdão pelos pensamentos que tem tido nas últimas noites, e por não estar se esforçando para resistir às invasões sobre sua mente.

A escorregada

A situação de Akin é pior a cada dia, já que Saburi lhe impõe constante pressão. Como um maníaco, o conselheiro quer descobrir a qualquer custo a minha localização e influenciar o rapaz para que, pela afetividade, ele consiga minha autorização para um contato telepático. Saburi espera que este momento aconteça logo, para entrar em ação, compartilhando com Akin as informações sobre o meu destino.

Eu estava no alojamento me preparando para dormir, quando senti o sinal de Akin solicitando contato. Meu primeiro impulso foi de autorizá-lo; no entanto, eu sabia que não poderia deixá-lo entrar. Conforme o acordo entre a comandante Dalji e meu pai, durante a minha guarda pela FSEI, eu não poderia dar autorização de contato telepático a ninguém. O sinal continuou pulsando e eu não tinha dúvida de que era ele, pois os sinais eram personalizados e não havia nenhum igual ao outro. Akin era meu melhor amigo, alguém que jamais me desejaria mal, e de quem eu estava separada há quase dois meses. Como eu poderia recusar a sua entrada? Deitei, torcendo para que ele desistisse e imaginasse que a conexão estivesse interrompida por qualquer motivo; no entanto, após alguns minutos de ausência, o sinal de Akin voltou. Resisti por mais um tempo, porém acabei autorizando o contato, e pude ver seu rosto apreensivo e choroso. Em sua mensagem, ele demonstrava muito carinho e perguntava sobre a viagem e sobre o meu destino final. Quando acabei de responder que a nave estava me levando para a Terra, a conexão foi cortada pela comandante Dalji, que usou de sua permissão especial e encerrou a conversa. No minuto seguinte ela estava batendo à porta do alojamento. Quando abri, pude ver seu rosto severo, e fui repreendida com uma voz firme, me lembrando de que a minha vida e a da minha família estariam em risco, caso eu não me comprometesse com os combinados.

– Karima, esta é uma missão muito perigosa, e você não pode mais ceder a qualquer tipo de apelo, seja de quem for.

– Comandante, eu confio totalmente em Akin, e sei que ele não comentará nada com ninguém, e que nem mesmo irá pensar nessa conversa para não me expor a nenhum tipo de risco. Eu estou sendo bem tratada por vocês, e agradeço, mas esse isolamento é terrível. Desde que isso começou, eu vivo como se fosse uma prisioneira de mim mesma, sem poder falar com as pessoas que amo, sem poder fazer contato nem mesmo com minha mãe. Eu quero muito vê-la, nem que seja só por uma tela, mesmo que a gente não se fale. Essa situação é cruel, e a viagem ainda vai demorar muito.

– Mas você sabe que não temos alternativa e que estamos fazendo o que está ao nosso alcance para que tudo termine bem. O que espero é que você aja da maneira que tem que ser. Vamos torcer para que essa escorregada irresponsável de sua parte não custe caro. Por favor, não insista, e tenha uma boa noite!

A forma seca com que Dalji me repreendeu me deixou tão triste e arrependida que sequer consegui responder qualquer coisa. Fechei a porta e só me lembrava da voz de Akin, cheia de preocupação, querendo notícias. O que eu não imaginava era que os menos de trinta segundos de contato telepático tinham sido tempo suficiente para que Saburi capturasse a informação. Ele agora sabia onde eu estava e o destino da nave. Com isso, podia dar continuidade ao plano de me tirar definitivamente do seu caminho. Manipulando a telepatia, Saburi já havia ultrapassado todos os limites, inclusive sobre as mentes dos mais jovens, para executarem ações sob seu controle, e fazer com que não se lembrassem de mais nada minutos depois. Foi desta forma que ele comandou o meu sequestro, induzindo o rapaz encapuzado e, em seguida, apagando completamente as ações de sua mente.

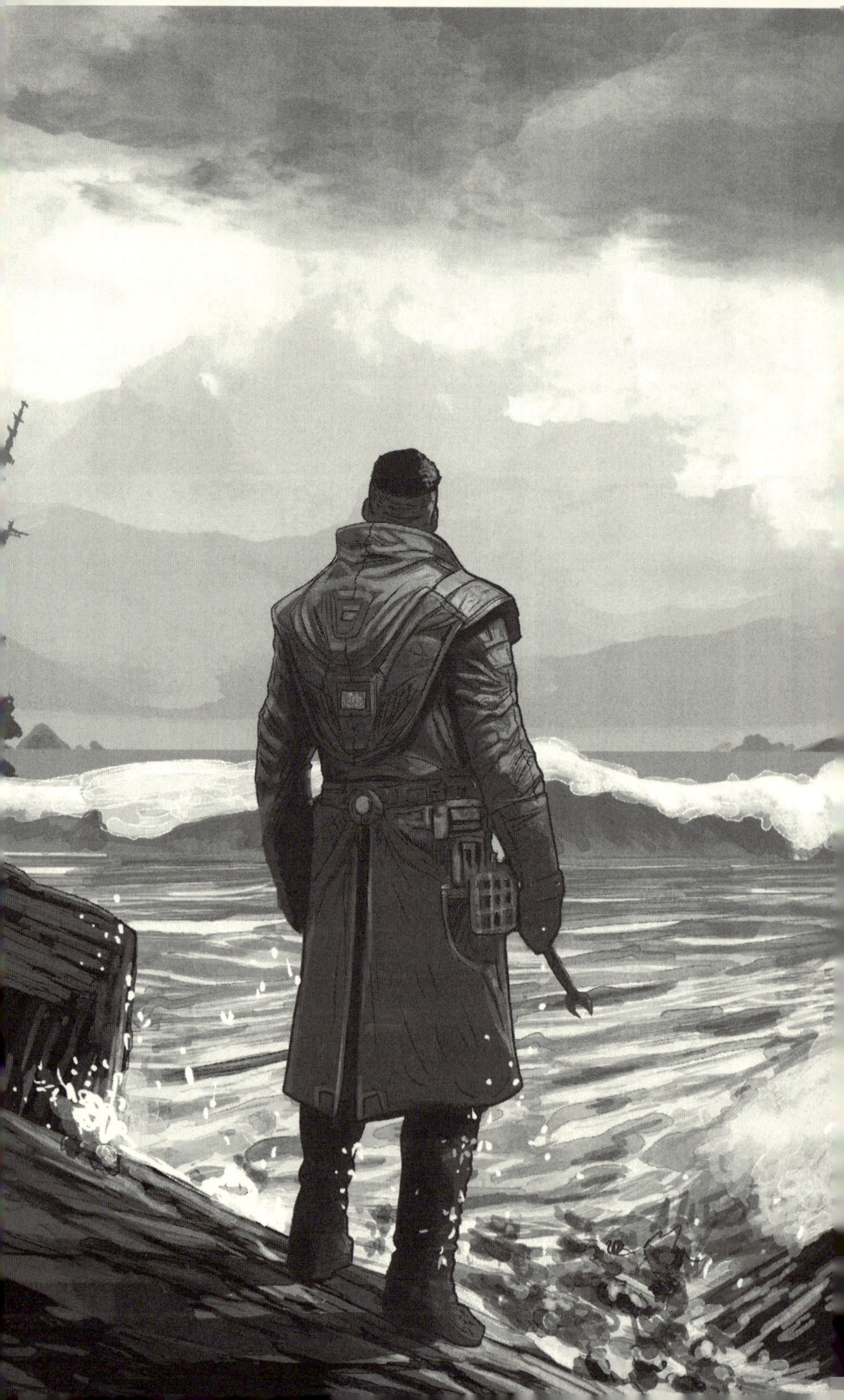

O inventor de robôs

Em algum lugar na Terra, coberto de poeira vermelha, um veículo utilitário do tipo van, depois de trafegar por horas numa estrada esburacada à beira de uma praia deserta, vai parando aos poucos, pois um dos pneus acaba de esvaziar. O motorista desce e verifica que o furo foi causado por um enorme parafuso dentado, que pode ter se desprendido de uma máquina pesada, como uma escavadeira ou uma niveladora de concreto. O homem se chama Galeano e, depois de fazer o reparo na roda com um *spray* de adesivo instantâneo, ele caminha em direção à praia, atravessa a pequena faixa de areia escura e tenta alcançar um pouco da água poluída, afastando com os pés uma montoeira de embalagens plásticas, pneus e restos de equipamentos eletrônicos. O cheiro que vem da água não é nada bom. Galeano retorna ao carro rapidamente, agitando as mãos molhadas para secá-las no ar, e segue em frente. À margem da estrada, montes de máquinas antigas enferrujadas estalam sob o sol, e o asfalto fica empapuçado do óleo velho que delas escorre. Sua casa está próxima, e é na garagem, no quintal dos fundos do pequeno imóvel, que ele trabalha como mecânico e inventor de engenhocas voadoras, rastejantes ou rolantes, de qualquer tamanho. Ele vai juntando peças descartadas e sucatas de todo tipo, e assim dá vida a robôs, drones, aparelhos domésticos e máquinas antigas em geral. Galeano estava ansioso para usar umas folhas de metal flexível que encontrou jogadas num lixão da antiga cidade. Elas serviriam para cobrir partes de seu telhado que vinha sendo perfurado por pedras de granizo caídas do firmamento com frequência, e de tamanhos cada vez maiores. O ar demasiadamente quente, combinado com a coloração cinzenta do céu, indicava a possibilidade de mais uma chuva forte de pedras para aquela noite. Galeano subia numa escada de madeira com as folhas de metal em um dos ombros, quando seu sinal telepático acusou a entrada de alguém. Saburi acabava de conectar-se com ele, para passar uma mensagem que vinha precedida por um apito curto e seco, indicativo de urgência e extrema importância. O receptor deu autorização, e a voz entrou forte em sua mente:

– Galeano! Estamos sem nos falar há muito tempo, não é? Sei que está ressentido porque nossa última conversa não lhe foi favorável. Lamento o que aconteceu com sua família, mas agora tenho uma ótima proposta para você.

Com calma, Galeano voltou para o chão, empilhou as folhas e sentou-se no primeiro degrau da escada para ouvir. Saburi então lhe encomendou a fabricação de um drone, uma espécie de arma mortal, que deveria estar pronto o mais breve possível, e lhe ordenou que se mantivesse conectado para acompanhar a aterrissagem da AIAPA 273 e copiar a minha identificação. Galeano não era um homem de estudos, tinha algumas pequenas contravenções em sua ficha cadastral, mas a vida tinha lhe ensinado a reconhecer as implicações de certas atitudes. Ele entendeu que aquele era um momento de impor condições:

– Uma autoridade de sua estatura me procurando, deve concluir que não executarei esta missão tão arriscada, colocando em jogo a minha liberdade, sem receber em troca algo que valha muito a pena.

— Sei disso, meu caro. Assim que você finalizar o trabalho, eu providenciarei a sua entrada em Wangari com toda a documentação necessária. Você terá uma casa confortável e poderá fazer o que quiser. Quem sabe ter uma oficina nova, aparelhada com tudo de última geração para executar suas invenções, reparos e experimentos? Você não vai se arrepender, eu garanto.

Galeano, a princípio, ficou desconfiado, sem saber o que responder. Ele havia passado por momentos trágicos na Terra, quando perdeu a esposa e os dois filhos por causa de uma doença cardíaca causada por uma superbactéria ainda pouco conhecida. Numa época em que não tinha como sustentar a família, ele pediu à esposa que fosse com os filhos passar um longo período na fazenda dos pais dela, numa região agrícola no interior da África do Sul. Os desmatamentos e alterações na biosfera tinham causado o aparecimento de vírus adormecidos e superbactérias que contaminaram rebanhos bovinos, causando a morte de muita gente pelo contato e consumo de carne. A doença atacou gravemente o coração dos três, e eles foram ficando fracos, até que não conseguiam mais andar, e não resistiram. A esposa morreu primeiro, e os gêmeos viveram mais um pouco, enquanto ainda eram crianças, depois morreram num intervalo de menos de um ano entre um e outro. Esta foi a época em que teve início a exclusão da carne de vaca como alimento, assim como do leite e de seus derivados. Milhares de pessoas em todo o mundo ficaram doentes e morreram, pois a doença avançou e foi declarada como pandemia.

O drone

No período de maior desespero na vida de Galeano e sua família, quando a esposa e os filhos já apresentavam problemas cardíacos graves, ele fez de tudo para tentar ser aprovado no projeto migratório, mas não lhe foi concedida a permissão. Em Wangari existiam especialistas mais capacitados para o tratamento de doenças epidemiológicas, e Galeano tinha esperanças de que eles pudessem ser curados. A família não tinha sequer o grau médio de formação escolar, não atendia às exigências para a mudança, mas, implorando por ajuda a vários conselheiros, Galeano chegou a conseguir uma audiência virtual com Saburi. Pediu muito, chorou, falou do agravamento da saúde da família, mas Saburi sequer permitiu que ele terminasse a argumentação, formalizou o parecer negativo e encerrou a comunicação.

No entanto, a situação agora era outra, e Galeano ponderou que, embora tendo perdido as pessoas que mais amava, ele continuava vivo e poderia aproveitar a chance de ter uma vida melhor. Conhecimento para construir a máquina não lhe faltava, e ele nunca havia me visto, então, não teria por que ficar se martirizando ou se apegando a algum tipo de empatia pela minha pessoa. Era só fazer o que Saburi estava pedindo, e depois gozar de uma vida tranquila, sem maiores preocupações até morrer. Ele merecia isso, e era o que ia fazer. A resposta foi sim. Galeano tomou seu lugar diante do computador e começou a receber por uma via clandestina na *deep web* as coordenadas da nave da Força de Segurança Especial Interplanetária que trazia seu alvo, a sua grande oportunidade de sair do mundo desgastado e triste em que estava vivendo. Todos os cálculos apontavam para a base da *Aaye Ile-işẹ Agência Pan Africana* que não era tão longe do local em que ele estava, e onde, depois de uma vasta área de mata preservada, havia sido criado o Centro de Harmonia Ambiental, do mestre Bonami.

A comunidade era o lugar ideal para o descanso dos viajantes espaciais, num vale que se abria no meio da floresta, onde a vida florescia sob a coordenação do respeitado mestre. O inventor imaginou que não faltariam pássaros de todos os tipos cruzando o céu, fazendo seus ninhos naquelas árvores frondosas e centenárias. Então, por que não criar uma arma em forma de pássaro? Um drone, perfeitamente estilizado, era a maneira mais fácil dele executar testes de voo, seguindo as coordenadas de ajuste preciso ao alvo. Se a máquina fosse vista por alguém, seria identificada como mais um dos pássaros, nada além disso. Em meio a esse pensamento, uma lembrança encheu de lágrimas os olhos do inventor: anos atrás, ele e sua esposa, Widelene, costumavam sentar na soleira da porta da frente de sua casa, enquanto olhavam os filhos brincando e gaivotas desorientadas no céu, procurando o caminho do mar, que estava logo ali, poucos quilômetros à frente.

Era uma época de grande calor, e muitos moradores do interior mudaram-se para as proximidades das faixas litorâneas na esperança de que o ar estivesse mais fresco. Mas pouco adiantou, pois o planeta continuava superaquecido. Nos oceanos, grandes balsas com suas enormes pás de coleta tentavam reduzir as imensas ilhas de lixo formadas ao longo de séculos, com quilômetros de aglomerados de embalagens plásticas e toda sorte de rejeitos que chegavam às praias dos seis continentes. Além do lixo, veio junto o óleo viscoso dos vazamentos de petroleiros. Nas últimas décadas do século XXI, a fiscalização sobre a segurança do transporte de barris de petróleo foi ficando cada vez menos rigorosa, por causa da disputa entre as nações para extrair e vender mais, antes que o produto fosse completamente proibido como fonte de energia no mundo. Logo, não se poderia fazer uso desse combustível nem nos transportes, nem nas indústrias de todo tipo, nem para a geração das usinas termoelétricas. Os países ricos em petróleo previam o grande prejuízo que teriam e se apressaram em lançar seus estoques no mercado, sem respeitar os critérios rígidos de segurança exigidos. As manchas de óleo começaram a aparecer nas praias em grandes quantidades, e a poluição ficou sem controle.

    Galeano tinha chegado aos cinquenta anos sendo, fisicamente, bem diferente do homem que era até uma década antes, quando perdeu a família. Ele havia emagrecido demais, não tinha vontade de comer e ingeria apenas o necessário para se manter vivo. Contraindo gripes com frequência, e com problemas sérios no sistema digestivo, houve uma época em que ele preferia ter morrido também, mas acabou concluindo que deveria lutar minimamente por sua vida, para que seus filhos, de onde estivessem, pudessem se orgulhar do pai, e não o vissem como um covarde, que não suportou a dor de perdê-los. Para ele, chegara a hora de olhar o mundo de uma outra maneira.

Sinais

Com o passar dos dias, minha mãe acostumava-se à ideia de que deveria se conformar com o meu distanciamento porque, pelo menos por enquanto, ele era necessário. O que ela mais ansiava era poder abrir o seu canal telepático para se comunicar comigo sem perigo de ser interceptada, mas ainda não era o momento. Ela tinha certeza de que eu estava longe, mas não entrava em desespero e procurava manter-se bem, por meio de técnicas de equilíbrio emocional e porque o seu trabalho lhe exigia uma conduta coerente e centrada. Por estarem muito abertos a premonições e captando imagens do que estaria mais adiante no tempo, os memorialistas aprenderam que não há como deter aquilo que está predestinado a acontecer. Se eles estão vendo, é porque já existe, e não se pode fazer absolutamente nada para impedir. Os sonhos dos sensitivos são também um território de encontros, e vez ou outra, é ali que eles recebem os contatos de entes queridos vivos ou mortos. Foi nesse lugar do sonho que minha mãe encontrou Rasul, quicando uma bola de basquete na pequena quadra que temos no quintal de casa. Enquanto arremessava a bola e marcava cestas no garrafão, meu irmão a alertou que eu ainda estava em perigo e ia precisar da ajuda da memorialista. Ele pedia que ela fosse cuidadosa, porque teria que enfrentar a maldade, valendo-se apenas de seus dons. Minha mãe acordou assustada e, sob forte emoção, começou a traçar um plano para acessar o canal telepático de Saburi, pois tinha certeza de que tudo o que estava acontecendo tinha a ver com ele. Nenhuma outra pessoa de seu convívio era tão dissimulada e gananciosa quanto Saburi. Pelo que se tem percebido sobre a natureza das mães, elas prestam muita atenção aos sinais, e enfrentam o que for preciso por seus filhos. Assim, todos os dias, antes de dormir, minha mãe repassava as consultas que tinham sido feitas à sua mente, e selecionava as do conselheiro. Aos poucos, ela ia rastreando as investidas incomuns, como as tentativas dele de acessar dados sobre nossa família. Recentemente ele tinha feito consultas sobre a genealogia e origem de nossos ancestrais na Terra. Minha mãe decidiu, embora correndo riscos, continuar analisando as entradas de Saburi, pois talvez pudesse descobrir alguma coisa, instituindo uma via de mão dupla entre a sua mente e a dele.

Quanto ao meu pai, seguia com o plano de não deixar que ninguém percebesse a minha saída do planeta. Ele mantinha um comportamento dissimulado, como se não soubesse de nada. Fingia estar de acordo com as investigações que estavam sendo feitas pelo Departamento de Segurança de Wangari, cujos oficiais ficaram de fora do plano da FSEI, porque ele não tinha confiança em ninguém ao nosso redor.

Já estávamos havia mais de dois meses do sequestro, e Saburi também se mantinha em silêncio sobre o assunto, apenas lamentando o meu desaparecimento quando se reunia com o Conselho e a União, pois tinha que demonstrar publicamente solidariedade ao ministro Malique diante dos membros, e alguma indignação. O conselheiro tentava desestabilizar meu pai emocionalmente, comentando sobre o quanto ele deveria estar desesperado, pois depois de perder Rasul, estava me perdendo também. O ministro limitava-se a responder que tinha esperanças e acreditava que logo eu seria encontrada. Era um jogo de dissimulação dos dois, em que o ministro tinha sempre muita cautela, como se estivesse num campo minado, escolhendo o lugar onde pisar. Qualquer pequeno deslize e Saburi poderia descobrir tudo. O que meu pai não sabia é que aquilo que ele temia já havia acontecido.

Akin, por outro lado, não tinha mais coragem de ir visitar meus pais. Ele estava completamente transtornado com a possibilidade de ter nos traído. Sua rotina mudou, pois ele agora passava a maior parte do tempo nas igrejas católicas, se ajoelhando diante dos santos e pedindo perdão. Meu melhor amigo mal conseguia se olhar no espelho, e sempre que via minha imagem nas telas espalhadas pela comunidade como vítima de sequestro, acabava se descontrolando e caindo num choro alto e sentido. Ele já não se alimentava bem, e dormir se tornara algo muito difícil, pois Saburi havia deixado no canal telepático do rapaz uma programação para que ele continuasse sob seu domínio. Até quando Akin conseguiria circular pelas ruas sem cair num surto psicótico ou coisa pior? O perigo era real, e suas forças estavam sendo perdidas. Akin não tinha certeza de mais nada. A sua única convicção era de que ele estava sendo dominado por uma força poderosa, e sequer sabia como pedir ajuda.

Planeta Mãe

Com quase quatro meses em órbita, acabei me tornando uma boa observadora do espaço e querendo aprender tudo o que podia sobre ele. Depois de algumas horas olhando pela janela da escotilha, reconheci um aglomerado de corpos celestes que poderiam fazer parte do Cinturão de Kuiper, na borda longínqua do Sistema Solar. Fui tomada por uma grande emoção quando me deparei com a visão da nebulosa Trífida, um espetáculo de cores em tons rosa, azul e lilás, com seus três lóbulos interligados. Em meus estudos sobre a história de Wangari, fiz muitas vezes este trajeto por realidade virtual, que reproduz as rotas de ida e volta do deslocamento causado pela devastação ambiental. A voz do robô soava agora anunciando o retorno ao modo visível, e a nave seguia em velocidade contínua, num compasso tranquilo em direção ao nosso destino. Ver os planetas com suas cores e variadas proporções, como o diminuto Plutão, o amarelado Saturno e seus anéis e o gigante Júpiter, faziam com que eu me percebesse muito pequena, um pontinho microscópico diante da massa escura do Universo. Eu me inquietava pensando sobre o trabalho que havia deixado em Wangari, e que era tão necessário que fosse feito, não só para os que se beneficiariam de seus resultados, as pessoas que precisam suprir suas necessidades sem ter que fazer sacrifícios, mas também por mim, pois é o que dá sentido à minha vida.

Dias depois, após um movimento giratório da nave que nos

deixou de cabeça para baixo, finalmente avistei a Terra, ainda bem longe no espaço. Embora eu soubesse que o planeta estava em recuperação, pois havia passado por sucessivos impactos destrutivos nos últimos séculos, a sua imagem me deixou imensamente feliz. Era visível o desgaste do planeta, não só por ter sido atingido por vários corpos celestes, mas também por danos provocados pelo homem na camada de ozônio que o protege dos raios solares ultravioleta, aliado ao desmatamento descontrolado. Eu ainda guardava em minha memória afetiva aquela linda esfera azul dos registros de arquivos antigos que conheci no período escolar, mas a Terra de agora tinha, em grande parte, uma coloração acinzentada, com apenas algumas áreas em que era possível notar, quando as nuvens se abriam, tons de marrom e de verde, o azul dos mares e poucos pedaços de branco cintilante nos polos. Foram quase dois séculos e meio de degradação provocada pelo aquecimento global. Os oceanos chegaram a níveis muito mais altos do que os cálculos previstos por ambientalistas, mudando a topografia dos continentes e reduzindo os espaços de terra firme.

 Minha curiosidade é mais forte do que tudo, e mal contenho a ansiedade em chegar, e pisar pela primeira vez no planeta que sempre habitou meus sonhos e as histórias que ouvi desde menina. A Terra é o lugar dos meus ancestrais, a conexão direta com as raízes da minha própria existência. Todos nós sabíamos e lamentávamos profundamente o que havia acontecido com o "planeta mãe", como alguns de nossos antepassados carinhosamente o chamavam. Através da grande janela frontal da nave, a tripulação observava a Terra com atenção e os três astronautas trocavam impressões sobre os resultados do processo de recuperação que já podiam ser notados, vendo o planeta do espaço. Erasto mostrava-se otimista:

— Se continuarmos nesse ritmo, com as diversas comunidades de harmonia ambiental funcionando em territórios estratégicos, com controle responsável das atividades, sem queima de carbono, sem ataques à camada de ozônio, com reflorestamentos e mantendo a fertilização do solo para o retorno da agricultura, em breve, a população que está em Marte, aos poucos, talvez possa ir retornando.

Erasto referia-se ao grande projeto das nações, que agora haviam se transformado em um conglomerado único. As antigas fronteiras já não significavam mais uma limitação para o consenso de medidas apropriadas à salvação do planeta. Quando todos os recursos naturais já estavam se esgotando e milhões de pessoas morriam por causa do calor e da falta de água, ou ainda pelo frio extremo que fez com que a temperatura chegasse a menos de cinquenta graus em algumas regiões, foi colocado em prática um plano de evacuação do planeta. Estados Unidos e China integraram seus estudos e tecnologias e iniciaram a ocupação. Há grupos populosos formados por pessoas de diferentes países instaladas em Marte, porém, vivendo em grandes cúpulas com temperatura e oxigênio controlados, e uma tecnologia complexa para a manutenção dos sistemas de alimentação e de saúde. Eu estaria muito aflita se estivesse sendo levada para Marte, em vez de para a Terra, porque já havíamos recebido informações sobre o que acontece lá, e sobre os riscos e tentativas frustradas de adaptação dos seres humanos em um planeta hostil. Mas eu tinha muitas perguntas comigo mesma, pois, embora tivesse passado por treinamentos sobre como sobreviver em ambientes diferentes de Wangari, e de ter boa saúde e preparo físico, estava amedrontada porque não sabia se meu organismo se adaptaria a um outro planeta e se eu realmente seria bem recebida. Afinal, eu era uma estranha vinda de outro sistema estelar.

A ganância

Essa realidade me faz pensar em Wangari como um presente de Deus, descoberto pelo nosso povo e organizado com uma sociedade há muito tempo sonhada por nossos ancestrais. Um lugar para se viver sem discriminação, com respeito à existência de qualquer ser, sem poluição do ar ou sonora, com os bens básicos garantidos a todos. Essa era a história que nos estava sendo contada desde a infância, pelos mais velhos, nas rodas de conversas e ensinamentos, e nos grandes encontros familiares que há anos acontecem em nossa grande cidade. Com certeza, em alguma medida, permanece a utopia dos fundadores diante da visão esplendorosa da natureza do meu planeta natal, com suas florestas, águas límpidas, sob um imenso céu repleto de astros e estrelas. Entretanto, sua sociedade foi estruturada por humanos, e, como tal, mesmo tendo passado por grandes provações e mudanças ao longo dos tempos, inclusive do ponto de vista da genética, e do quanto foi descoberto sobre nossa capacidade física, mental e espiritual, ainda somos propensos a cometer erros.

Quanta coisa aconteceu na história da evolução do planeta Terra, que quase desapareceu por causa de atitudes irresponsáveis de poderosos, dos que enriqueceram invadindo territórios e se apossando de riquezas alheias, para depois, oprimir e colocar sob a força do seu armamento os mais frágeis, os desvalidos, os pobres. E para quê? Me assusta pensar que, depois de tantos equívocos, ao longo de uma sucessão de anos, ainda vieram novas gerações com este mesmo pensamento. Em conversas com nossos mestres e com os anciões nos encontros familiares, soubemos que no passado, antes do início da destruição maior na Terra, não faltaram alertas dos ambientalistas, cientistas, antropólogos, astrônomos, enfim, todos prevendo o pior dos quadros, caso não acontecesse uma mudança profunda de comportamento. Mas a humanidade não os levou em conta. Quanto tempo mais será preciso para que se alcance o entendimento de que de nada adiantará conquistar outros planetas, se a consciência da preservação não for considerada como a maior das conquistas?

No nosso período escolar aprendemos que não tinha sido nada fácil para os exploradores africanos chegarem ao meu planeta. A partir do século XXI, foram necessários mais cem anos para que a primeira nave espacial atravessasse as fronteiras do Sistema Solar. Antes disso, gastou-se muito dinheiro e astronautas perderam a vida para que fosse possível a instalação de uma colônia em Marte. Entre os *links* que encontrei no setor de história da Terra na grande biblioteca de Wangari, estão relatórios de encontros internacionais em que os estudos da *Aaye Ile-işę Agência Pan Africana* sobre possíveis planetas habitáveis em outros sistemas da Via Láctea foram sempre pouco considerados pelas outras nações, mesmo já se tendo constatado que a astronomia integrava o conhecimento africano desde o início das civilizações. Trabalhos acadêmicos de pesquisadores africanos apontaram que o conhecimento tecnológico foi identificado em vários setores das sociedades da África Antiga. Nos arquivos guardados em Wangari, há dados que informam que, em meados do Século XX, foram encontrados numa região do Quênia, próximo ao Lago Turkana, os restos pré-históricos de um observatório astronômico. Eles demonstram também que o povo Mali, no último milênio antes da Era Comum, já conhecia a Via Láctea, com sua estrutura espiral, as luas de Júpiter e os anéis de Saturno. Nos artigos mais recentes publicados nas revistas científicas reproduzidas em novas mídias, podemos ler que uma parte dos especialistas atestava que Marte não oferecia as melhores condições de permanência para os humanos, já que tudo teria que ser levado para lá, desde o próprio oxigênio, passando pelas estufas para produção de alimentos e também os recursos em termos de medicamentos e equipamentos de manutenção da saúde.

Os analistas de história das sociedades, especialmente os que se debruçavam sobre as economias do mundo, eram pessimistas quanto ao sucesso da colonização do planeta vermelho. Eles denunciavam que os responsáveis pelas equipes de diferentes países tinham interesses que atendiam a corporações e empresas comerciais norteados pela competitividade, pela ganância, ocupando Marte com a mesma mentalidade e preceitos do que foi feito na Terra pelos colonizadores antes e depois da era industrial. As multinacionais se estabeleceram naquele planeta com intuito de explorar ao máximo os ganhos financeiros, em detrimento da boa convivência, da evolução das pesquisas com fins humanitários e do cuidado com o ambiente. Até que a missão africana encontrasse e colocasse a sua bandeira no planeta verde, muitos outros projetos espaciais de europeus, americanos, japoneses, que eram considerados superiores ao do povo negro, fracassaram. Os antigos afirmam que a herança de civilizações pioneiras e o aperfeiçoamento de pesquisas com tecnologia própria, sem abrir mão da compreensão de que a união é primordial, foi o que guiou os africanos, e os levou muito além do que outros povos na Terra poderiam imaginar.

A chegada

A aproximação da Terra seguia no seu tempo, até que um dia, mais uma vez, a voz robótica tirou minha atenção do espaço com a ordem para colocarmos os macacões e acessórios de segurança, e para que estivéssemos prontos em quinze minutos. Nos aprontamos sem demora. De repente, um barulho estrondoso feriu meus ouvidos, como o da explosão de um balão soltando um forte jato de ar. Era o impacto da entrada da nave na atmosfera terrestre. Estávamos na órbita do planeta que todos em Wangari sonhavam conhecer e para onde eu jamais poderia imaginar que viria desta forma, escoltada pela FSEI, como uma refugiada.

O que guardo de minha chegada é uma sucessão de imagens que eu tentava assimilar com calma e muita atenção. Depois de um voo baixo sobre uma grande área devastada, com solo escuro e vegetação retorcida, seguida de um trecho sobre mares e matas preservados, pousamos suavemente em uma enorme clareira, onde está instalada uma das plataformas de recepção de naves da AJAPA. Ouvi um zumbido contínuo e a porta principal da nave se abriu. A comandante foi a primeira a descer por uma rampa longa e íngreme, seguida por Julião. Erasto, com um gesto de mão, indicou que eu deveria ir em frente, antes dele. A comandante Dalji retirou o seu capacete, e os oficiais também. A princípio tive receio de ficar sem o meu, pois eu não tinha certeza de que poderia respirar naquela atmosfera. Então, Julião fez um sinal para que eu o retirasse. Me surpreendi com o ar fresco da mata que entrou por minhas narinas, percorreu meu corpo e chegou aos pulmões. Respirei fundo várias vezes, sorrindo meio boba, sob o olhar curioso e divertido da tripulação.

Rápido demais, quase que na velocidade de um raio, já estava flutuando ao nosso redor um veículo leve sem piloto, com quatro lugares. Assim que a comandante se aproximou e abriu a porta, surgiu sobre o painel o holograma de um senhor negro, vestido como uma espécie de sacerdote, de *dreads* e barba branca, que lhe abriu um acolhedor sorriso.

– Espero que tenha feito uma boa viagem, comandante Dalji. Chegaram a tempo de experimentar a minha saborosa sopa de espinafre. As acomodações estão prontas, à sua espera. Há também água quente e uma sessão de massagem relaxante para normalizar as funções vitais e o sistema imunológico dos viajantes. Posicionando-se diante de uma pequena câmera interna na parte superior do para-brisa do veículo, a comandante sorriu, bem à vontade, e feliz com a receptividade.

– Correu tudo bem conosco, logo estaremos juntos, mestre Bonami.

Quando todos ocuparam os seus lugares, o veículo partiu em altíssima velocidade, num trecho deserto e depois, ao entrar numa floresta tropical, diminuiu o ritmo desviando-se das árvores, e continuou quase planando sobre as estreitas trilhas. Pude ouvir o canto dos pássaros enquanto admirava a beleza da vegetação e o perfume da terra úmida e fértil, com flores coloridas, plantas de folhas grandes e pequenas, numa enorme variedade de formas e tons. Tudo muito vivo e pulsante, assim como o som de uma queda d'água que parecia cada vez mais próxima, conforme íamos mata adentro.

Depois de uma guinada brusca para o lado direito, diante dos meus olhos ergueu-se a cachoeira mais linda que eu já tinha visto em minha vida. Era magnânima, com um denso volume de queda d'água, bem no meio de um grande paredão de rocha brilhante, cuja superfície refletia um azul escuro, quase como um veludo.

    O veículo parou para que pudéssemos descer. Era realmente espetacular. A natureza estava nos dando boas-vindas. Diante daquela maravilha, os astronautas da FSEI se deram as mãos, e a comandante me ofereceu a sua para que eu completasse o semicírculo. Inclinamos os corpos um pouco para baixo, numa reverência às águas e às divindades que as habitam. Era o nosso agradecimento ao planeta Terra. Ainda com minha mão unida à de Dalji, experimentei uma sensação forte, positiva, como uma corrente vibratória espiritual. Olhei nos olhos da comandante e eles estavam extremamente dóceis e brilhantes. Aquele era o verdadeiro lugar de Dalji. E eu me via cada vez mais encantada por aquela mulher forte, que revelava ali o seu lado mais terno, como uma filha que respeita e reconhece a grandiosidade de suas origens. O contato de sua mão, mesmo dentro da luva, me transmitia proteção e uma amorosidade que eu queria ter comigo por muito mais tempo.

A recompensa

As últimas noites tinham sido insones para Akin, e ele se mostrava desorientado, não só em casa, como também nas áreas de socialização. Os amigos estranharam seu comportamento que a cada dia ficava mais agressivo. Ele percebia que se descontrolava facilmente e, numa espécie de instinto de sobrevivência, resolveu procurar um dos psicólogos que prestavam atendimento permanente à população de Wangari. O profissional começou um tratamento para Akin, que envolvia substituição progressiva de imagens mentais ruins, que a todo momento perturbavam a sua paz, por imagens bonitas, tranquilas, de belas paisagens e pessoas convivendo em harmonia. Muitas vezes ele era induzido a sentir-se como se estivesse boiando em água morna, ou deitado nas nuvens. Aos poucos, o tratamento ia apresentando progressos, com experiências sensoriais agradáveis e acolhedoras, unidas a técnicas de respiração que o acalmavam. Akin voltou a dormir mais protegido, com sua mente acionando recursos que começavam a bloquear a influência perversa do obsessor. Ele passou a acompanhar mais de perto o comportamento de Saburi, buscando pistas que pudessem representar alguma ajuda para desvendar o meu caso. O conselheiro mantinha a amizade com os pais adotivos de Akin, e costumava visitá-los pelo menos uma vez por semana, ocasiões em que participava de um jantar ou almoço com a família. Numa dessas visitas, Akin concentrou-se nos gestos e no som da voz de

Saburi, e já conseguia perceber, mesmo vagamente, que havia uma semelhança com a voz que estava em sua mente durante a noite. Pela maneira de falar e pela insistência em querer induzir o casal a iniciar o filho na política, Akin constatou que o conselheiro queria transformá-lo num discípulo completamente dominado para fazer o que ele quisesse nas esferas de poder em Wangari. Saburi, por sua vez, parecia querer checar e ter certeza de que Akin continuava sem tomar consciência de que ele era o seu invasor, e fazia questão de perguntar se estava tudo bem com o rapaz, fingindo interesse sobre seus avanços nos estudos e sobre seu desempenho no campo social. Antes que os pais comentassem qualquer coisa sobre seu comportamento, Akin se adiantava e respondia que estava tudo na mais perfeita normalidade, esquivando-se de dar detalhes sobre sua vida.

Na Terra, Galeano trabalha dia e noite na encomenda e, de tempos em tempos, vai conferindo as coordenadas no entorno da base de pouso da nave da Força de Segurança e registrando os trajetos no plano de voo da sua máquina. Não havia dúvida do local para onde a tripulação estava se dirigindo, pois, naquela região, a única comunidade de excelência vital era a do mestre Bonami. Galeano ouviu falar daquele lugar, mas sabia que nunca seria bem recebido lá, pois não norteava sua vida por nenhuma convicção religiosa ou filosofia naturalista. Mesmo sabendo que a vida ali era tranquila e dotada de tecnologia limpa, onde os moradores podiam viver muito bem, ele era terrivelmente cético, e não acreditava na possibilidade de recuperação do planeta. Para ele, em pouco tempo, as condições de contaminação do clima, dos mares e do ar acabariam atingindo também aquele protótipo do movimento da "Nova Era". Galeano era um lobo solitário, buscando seus próprios meios de sobrevivência, e rejeitava a ideia de ter que fazer trabalhos comunitários ou de se dedicar a ensinar crianças a valorizarem a vida sustentável. Por que motivo ele faria isso? Suas crianças não tiveram escolha no momento em que precisaram de ajuda. Os governantes não consideraram o sofrimento de sua família. Tanto na Terra quanto em Wangari, tudo o que ele recebeu foi o desprezo e negativas, apenas por não ter estudo, ou um trabalho considerado nobre ou de utilidade pública. Inventor? Sem dinheiro para constituir empresa própria ou sem nenhuma patente registrada, ele era visto quase como uma piada.

Mas o homem começava a crer que finalmente a sua recompensa estava próxima. E para ele tanto fazia se aquilo era obra de Deus ou do Diabo. Pouco importava o que tivesse que fazer para ganhar um pouco mais de tempo, já que a vida era como um leve sopro que não durava muito mesmo, e que não havia nenhuma garantia sobre o que viria depois da morte, se é que viria alguma coisa.

Pela primeira vez em sua existência, Galeano estava vencendo o seu próprio pessimismo e a convicção de que era incapaz de uma grande realização. Ele empenhou-se, sem descanso, até chegar à correta combinação de peças que permitiria que sua máquina lançasse a substância mortal, atingindo o alvo no momento certo. Ela avançaria silenciosamente, não como uma geringonça daquelas barulhentas que ele costumava criar, como coletores de lixo, ou robôs que abriam covas no quintal para plantio de hortaliças. Ou ainda como os braços mecânicos que rangem na lavagem de louça e na limpeza dos poucos cômodos de sua casa. Tudo tão rudimentar! Não. Dessa vez, era uma bela invenção, que estava lhe enchendo de orgulho, algo que ele nunca imaginou que pudesse criar com metal e coberto por elementos vindos da própria natureza. Era uma máquina, mas ao mesmo tempo tinha uma alma, um carisma hipnotizante, que lhe abriria as portas para a sua liberdade. Com frequência, o inventor conversava com a imagem de Widelene, que figurava ladeada pelos dois filhos, em uma fotografia presa nas tábuas diante de sua bancada de trabalho. Como se as crianças ainda estivessem ali, ele dizia ao casal de gêmeos que eles poderiam orgulhar-se de um pai que ocuparia um lugar de destaque, reconhecido pela sua genialidade. Galeano estava certo de que iria finalmente para Wangari, viver tudo aquilo que lhe havia sido negado. Para ele, a redenção parecia próxima, já, para mim, a maior batalha estava prestes a começar.

Uma presença

Diante do esplendor da queda d'água, embora carregasse ainda uma ponta de preocupação sobre como estariam os meus pais e Akin, senti o aroma da mata e procurei conectar-me com algo superior. Fechei os olhos e achei que iria levitar, porque, sem dúvida, aquele era um lugar propício à libertação do espírito. Dalji, que conhecia bem aquelas matas e águas, pois era onde ela havia nascido e passado toda a sua vida antes de ir para o grande Centro estudar, me falou sobre uma entidade, cujo espírito atravessara séculos. Era um caçador, que cruzava aquela floresta protegendo tudo o que ali habitava, não só pessoas, mas também plantas, animais, águas e rochas. Ele é Oxóssi, um ser que luta pela preservação e que zela pela recuperação da natureza. Ainda hoje, é homenageado e reverenciado, assim como outras divindades do milenar culto do Candomblé.

— Não é novidade para mim, comandante, porque os orixás são conhecidos da minha família e dos meus antepassados. Cresci ouvindo meus pais dizerem que eles são as próprias forças da natureza, e que fazem a intermediação entre os seres humanos e o Céu. Porém, é incrível como, na Terra, isso parece ganhar mais sentido, e eu nunca havia me aproximado tanto dessas forças espirituais como aqui, neste lugar.

— A Terra é onde você saberá mais sobre crenças e divindades do nosso povo. E vai conhecer o espaço místico, que foi erguido num monte, e que se tornou sagrado. Mas vamos em frente, porque ainda não chegamos ao nosso destino. Dalji estava entusiasmada, de um modo como eu ainda não a tinha visto.

Voltamos para o veículo e ele partiu por outro caminho no interior da floresta. Eu me deslumbrava com a quantidade de plantas de tamanhos e tons de verde muito variados, e também com a quantidade de flores misturadas. Em Wangari, temos montanhas, desertos e grandes áreas de vegetação, mas são poucos os tipos de forrageiras e até mesmo de árvores, flores e plantas. Todas as espécies botânicas crescem até uma estatura média, e eu jamais tinha visto árvores tão altas. Depois de subirmos uma pequena serra, chegamos à beira de uma montanha e avistamos um vale com dezenas de prédios baixos, todos com o mesmo desenho arquitetônico de não mais que três andares, e com o brilho platinado das placas fotovoltaicas nos telhados captando energia solar. Alguns carros voadores transitavam, ora acima das construções, ora entre os prédios, sobrevoando quintais, áreas de plantação e grandes espaços de natureza preservada, separados apenas por cercas. Do alto, era possível identificar, um pouco mais afastadas da aglomeração de construções, as áreas de cultivo de agricultura diversificada, silos e galpões de processamento de grãos, além de uma espécie de garagem dos veículos e de maquinários usados na agricultura. Robôs trabalhavam na aragem e plantio, produzindo aberturas na terra, divididas em uma perfeita simetria, onde eram lançadas as sementes.

Enquanto o carro descia junto à montanha, pude ver ao longe as fileiras de torres de energia eólica, e uma grande estação de purificação de água, com enormes condutores que compunham um elaborado sistema de irrigação que abastecia o vale. Já transitando levemente pelas ruas da comunidade, paramos diante de um dos prédios que tinha escrito em sua fachada: Centro de Harmonia

Ambiental. Em segundos, uma grande porta começou a se abrir e lá estava de pé, sorrindo, o senhor de *dreads*. Ele estendeu os braços para nos receber e aquele gesto me trouxe uma paz ao coração, como havia tempos não sentia. Enquanto caminhava para ele, entretanto, num dos cantos do meu campo de visão, percebi a presença de um observador. Um arrepio percorreu meu corpo. Antes que a porta se fechasse, olhei ao redor para o lado de fora e não vi absolutamente ninguém. Não saberia dizer se foi uma presença física, ou algo impalpável, mas alguma coisa ou alguém sabia que eu havia chegado. Eu não tinha dúvida disso.

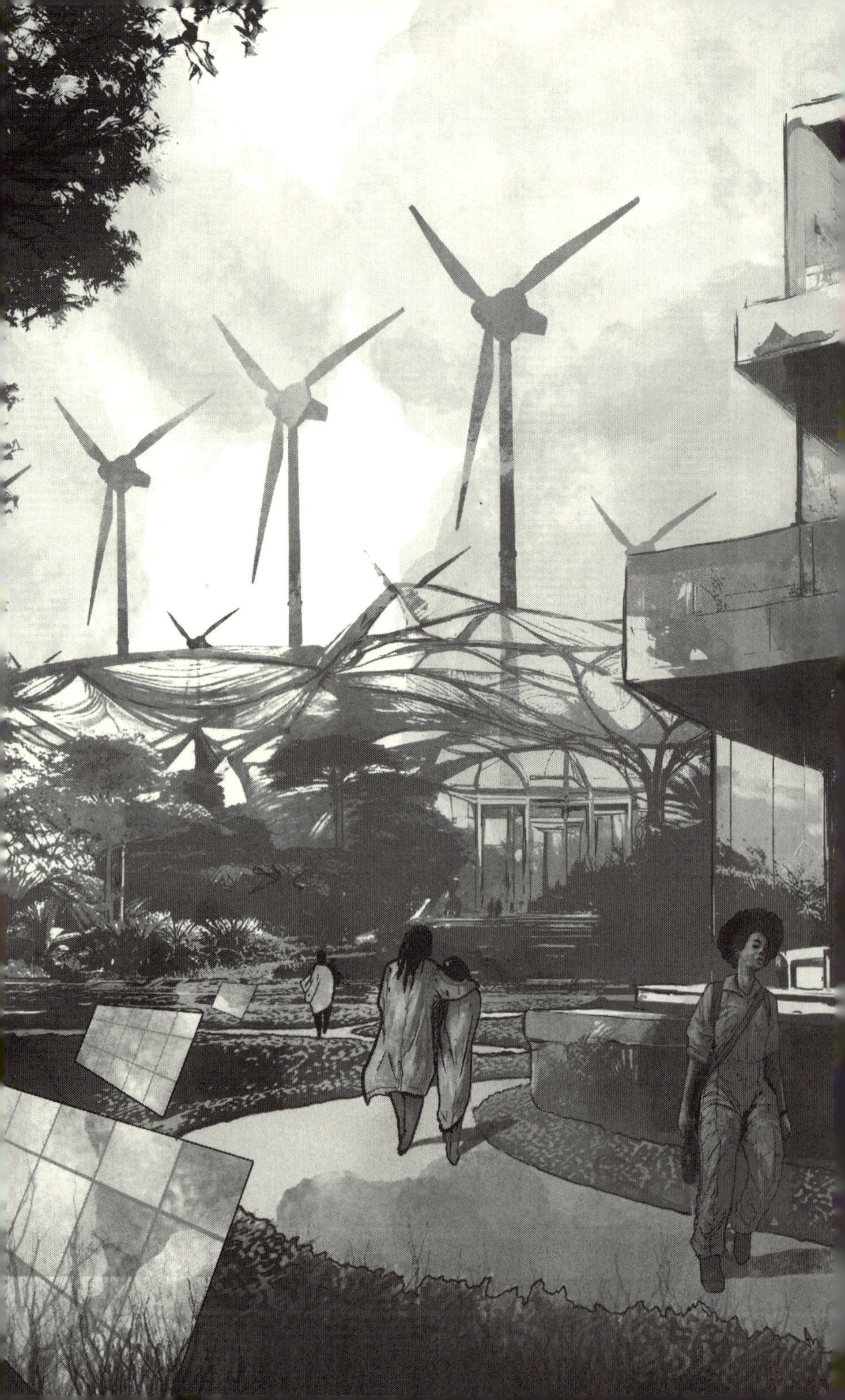

A comunidade

Nossa recepção na comunidade do mestre Bonami foi realmente maravilhosa. Ainda no saguão, passamos por uma varredura numa máquina que nos borrifou um líquido purificador, para eliminar vírus, bactérias e todo tipo de impurezas. Depois disso, Bonami nos abraçou, um a um, sem pressa, e aquele gesto me encheu de felicidade. Tomamos um banho morno, com infusão de ervas aromáticas, e fomos para um salão incensado receber a massagem que colocou nossos músculos, nervos e ligamentos no lugar. Os massagistas eram pessoas vestidas de roupas claras, em cores variadas de verde, azul, amarelo e lilás. A massagem era feita com óleo de cânfora, e um aroma de mirra inundava o local, onde a luminosidade era controlada, e entrava um ar puro por entre as pequenas aberturas das cortinas esvoaçantes. Fizemos uns exercícios respiratórios orientados por senhoras que chegaram com turbantes e ramos de arruda e guiné, e a cada respirada profunda que fazíamos elas batiam em nossos ombros com os ramos, e iam descendo com eles, dando batidinhas em nossos corpos até os pés. Somente depois desse ritual é que fomos para a sala de jantar. No caminho, paramos diante das máquinas de cadastramento vocal, para que, dali por diante, pudéssemos abrir e fechar portas, acender as luzes e usar os banheiros com o comando de nossas vozes.

Bonami estava muito interessado em nos falar sobre a sua sopa de espinafre, e passou um largo tempo explicando detalhadamente como ela era feita. Descreveu todas as etapas, desde o plantio na grande horta comunitária, passando pela sua colheita, que deve priorizar sempre as folhas maiores e mais verdes. Depois narrou o processo de higienização das folhas, e o restante do preparo, sem deixar de fora todos os ingredientes do tempero, o tempo de cozimento e o tempo de infusão com o fogo desligado. Tudo me pareceu uma história tão comprida, mas, na verdade, o mestre sabia que aquele tempo de escuta era necessário para nos trazer de volta do espaço ao solo. Se começássemos a falar continuamente sobre a viagem ou sobre Wangari, nossas mentes não teriam realmente entrado em estado de repouso, e sequer conseguiríamos dormir um sono profundo e adequado à reordenação dos sentidos.

Mestre Bonami é um sábio místico, adepto da filosofia africana bantu, que tem como fundamento a comunhão profunda dos humanos com a natureza, numa relação de respeito recíproco. Sua crença considera a superioridade do que é produzido espontaneamente pela natureza sobre tudo o que é artificial. E assim ele vai conduzindo a comunidade, que começou apenas com a sua casa e as de três famílias comandadas por mulheres. Outros foram chegando, procurando por um lugar onde pudessem estar livres da desordem geral que se instalou em seus países. Hoje, o número de prédios residenciais chega a trezentos. O Centro de Harmonização Ambiental é uma espécie de laboratório de boas práticas para a revitalização do planeta, que equilibra a sabedoria dos mais velhos e da própria natureza com o avanço tecnológico não poluente. Um modelo sustentável que está sendo replicado em muitos países neste momento.

Finalmente a sopa de espinafre foi servida, e eu não me lembro de ter experimentado uma refeição tão saborosa, que me tivesse dado tanto prazer, na medida certa, sem que fosse necessário repetir. Logo depois, já estávamos deitados em redes confortáveis, penduradas em toras de madeira posicionadas em forma circular numa grande varanda. Mal dava para acreditar que eu estivesse em terra firme, olhando o céu estrelado, distante, depois de tantos dias viajando pelo espaço. A conversa foi rápida, girou em torno da viagem, mas, num piscar de olhos, estávamos entorpecidos pelo sono. Os quartos ficavam no segundo andar, onde nos esperavam lençóis macios, e música relaxante tocando bem baixinho, quase hipnótica. E como dizia um ditado antigo, dormimos o sono dos justos.

 O despertar foi com o canto de pássaros, e eram tantos, como se estivessem todas as espécies reunidas num só lugar. Este foi mais um momento encantador. Em Wangari existiam algumas espécies de pássaros, mas não tantas assim, com cantos diferenciados e com um colorido tão espetacular como o das araras azuis e vermelhas. O som do seu canto era o mais alto, seguido do que é emitido pelos papagaios e maritacas, todos da mesma espécie, os psitacídeos. Eu conhecia esses sons, mas os tinha ouvido apenas nos bancos de registros sonoros de animais da Terra, que acessávamos colocando os fones dos totens dos museus de Wangari. Ao mesmo tempo, podíamos observar, em projeções gigantescas nas paredes, imagens desses mesmos animais que enchem o ar com seus cantos e gorjeios. Em intervalos, eu ouvia também o canto da sabiá e a conversa entre um bem-te-vi que parecia próximo, com um outro, a longa distância. Aquela era a minha primeira manhã na Terra, onde tudo era novo para mim.

A visita

Me aprontei com uma túnica leve e uma calça de algodão, ambas na cor amarela, que estavam estendidas sobre uma poltrona de junco ao lado da cama. O contato daquele tecido era novidade, pois as roupas que usávamos em Wangari, de um tecido preparado com proteção solar, tinham texturas um pouco mais firmes, não tão suaves como aquelas. Meus amigos já estavam no grande salão me esperando para a primeira ceia do dia. Sobre a mesa comprida, bandejas de madeira com frutas frescas coloridas e perfumadas eram um convite irresistível para quem, como eu, acordara com fome, depois de uma noite longa e bem dormida. Antes da refeição, porém, Bonami entrou na sala e pediu que todos se levantassem para saudar os alimentos, demonstrando nossa gratidão por sua função de nos nutrir. Aos poucos, foram chegando muitas outras pessoas que eu ainda não havia conhecido, e passamos um bom tempo nos apresentando, todos com um olhar de esperança e um abraço afetuoso. Meu coração estava acolhido, meu sentimento era de resignação porque não havia melhor opção de vida para mim naquele momento.

Agradeci aos orixás por estar viva, entre amigos. Depois de comermos, Dalji me levou a uma sala reservada. Com o controle subcutâneo em seu pulso, a comandante fez uma chamada, abriu uma tela diante de nós, e me apresentou a seus pais. O casal estava na sala de sua casa, já aguardando pela conexão da filha, e a cumprimentou com suas bênçãos. A mãe de Dalji, senhora Aba, uma mulher muito bonita, usava um vestido colorido com desenhos geométricos intercalados por pequenas ondas e pontilhados, num tom de verde vibrante e alegre. Na cabeça ela tinha um turbante do mesmo tecido, com uma amarração finalizada em um grande laço junto à lateral do pescoço. Seu pai, senhor Dyami, é um homem muito alto, grisalho, com olhos castanho-claros. Ele vestia uma túnica azul real, e notei que seus olhos eram iguais aos de Dalji, porém sem nenhum movimento, em função de uma deficiência visual. Dalji me apresentou a eles como sua amiga e companheira de viagem, vinda de Wangari e pela primeira vez na Terra.

A mãe de Dalji me fez um convite para que fosse almoçar com eles em algumas horas. Concordei agradecida. A casa dos pais da comandante ficava nas proximidades de onde estávamos, e então resolvemos ir andando pelas ruas, passando diante dos pequenos prédios e observando os jardins. Antes da entrada principal das construções, havia sempre um espaço acolhedor, com bancos acolchoados onde os moradores sentavam para conversas, leituras e para fazerem suas chamadas de tela a amigos e parentes. Pude ver também crianças brincando em balanços, tobogãs e gangorras de madeira que pareciam verdadeiras antiguidades. A visão daquelas pessoas alegres e se divertindo me lembrou de meus pais e da minha própria infância. Cresci numa casa grande em Wangari, e não posso deixar de admitir que sempre vivi num ambiente de muito amor e conforto material, pois os meus pais conseguiram equilibrar a vida entre seus trabalhos fora de casa e a atenção e carinho dedicados aos filhos. A morte de Rasul foi uma fatalidade, e eu não tinha dúvida de que não houve descuido do meu pai, pois foi em questão de minutos que uma tempestade se formou, acompanhada por uma sequência de quedas de raios. Aquela era a primeira vez que eu me ausentava de minha casa por tantos dias. De vez em quando, eu saía para acampar por dois ou três dias, ou ia dormir na casa de amigas ou de primos, apenas como divertimento, nunca por necessidade. Eu voltava pra casa com saudades dos meus pais, do meu quarto, das minhas pequenas coisas e da minha biblioteca digital. Enquanto caminhávamos, percebi que Dalji estava exultante com o retorno ao seu lugar e que para ela era importante que eu conhecesse seus pais e a casa onde havia crescido. A formalidade por ela incorporada durante toda a viagem, no trabalho de coordenação da sua equipe e no relacionamento que tinha comigo, parecia que ia ficando cada vez mais distante, desde que pisamos na Terra. Naqueles ambientes ao ar livre, fora do platinado artificial da nave, com o vento tocando nossos rostos, podíamos nos ver com mais cuidado, reparando melhor em nosso jeito de sorrir, nossos gestos ao conversar, e era cada vez mais intenso o brilho em nossos olhos quando estávamos frente a frente. O que eu estava sentindo por Dalji era uma emoção nova, que me trazia paz e alegria.

Família

Na casa dos pais da comandante, depois de uma higienização de rosto e mãos no lavabo da entrada e de trocarmos os sapatos por confortáveis pantufas, fomos recebidas com abraços do casal e com uma jarra de uma deliciosa água de coco, extraída do fruto do próprio quintal. O pai de Dalji pediu à esposa que lhe entregasse os óculos de visão virtual para que ele pudesse nos ver pelas imagens gravadas e enviadas ao cérebro em tempo real. Eles não escondiam sua felicidade em ter a filha em casa, especialmente porque sabiam que seria o último ano de viagens de Dalji na função de oficial do setor de segurança, na rota entre a Terra e Wangari. Eles a teriam por perto com maior frequência, e poderiam vê-la na base, a pouco mais de uma hora da colônia. Os dois procuraram me deixar à vontade, e fizeram muitas perguntas sobre meu planeta. Respondi a todas com prazer, aproveitando a oportunidade para buscar na memória o que eu achava interessante por lá. Expliquei que a ocupação de Wangari tinha apenas um século e meio, e que, desde a fundação, foi feita a implantação de uma rede moderna de recursos básicos que garantem a subsistência da população. Algumas indústrias funcionam muito a contento, como a fabricação de carros voadores ultrassilenciosos de última geração. Todas as casas já têm a coleta de dejetos instantânea, com trituradores nas pias de cozinha e envio direto através de condutores subterrâneos às fábricas de compostagem. O trabalho doméstico e a produção de alimentos feitos por robôs era eficiente, com substituições periódicas por modelos cada vez mais aperfeiçoados. Falei também sobre a nossa grande biblioteca universal, com seus arquivos de milhões de dados, tanto em formato digital quanto os que estão publicados nos jornais e revistas de tecnologia flexível, com imagens em movimento que ilustram notícias ou textos analíticos. O sistema educacional e as expressões artísticas, como dança, teatro, música e artes plásticas, em Wangari alcançam todas as crianças, adultos e idosos, assim como os atendimentos públicos de saúde, segurança e práticas alternativas para o bem-estar físico e mental. Mas o meu maior orgulho foi poder descrever os procedimentos de preservação da natureza, de educação ambiental para que as águas das cachoeiras, rios e grandes lagos permaneçam puras. Aproveitei para comentar sobre o meu projeto de filtragem automática de água para todas as casas, aumentando o padrão de potabilidade. A conversa foi muito animada, e eu estava completamente feliz por ter podido falar sobre Wangari. Depois do almoço, a mãe de Dalji abriu uma tela e nos mostrou as imagens da família e da infância da filha. A comandante, desde cedo, gostava de brincar com protótipos de naves espaciais e estava constantemente por trás de um telescópio mirando as estrelas.

— Dalji já sabia que seu trabalho ia ser no espaço, em naves ou estações, pesquisando e observando os planetas lá do alto. No início foi difícil a gente aceitar os longos períodos de ausência e as missões perigosas, mas é o que ela sempre quis, temos que apoiá-la.

Notei que havia um estranhamento entre Dalji e o pai, porque ele não lhe dirigia muito a palavra. Alguma coisa entre os dois não ia bem.

— Senhorita Karima, eu admiro muito o orgulho com o qual

você se refere ao seu planeta, à sua forma de vida e aos seus pais. Às vezes as pessoas se afastam de suas raízes por escolha, porque preferem viver como aventureiros, viajantes. Temos um exemplo aqui em casa... mas e você? O que está fazendo tão distante do seu lar e dos seus?

Dalji começou a falar primeiro e nem me deixou responder as perguntas de seu pai.

— A viagem de Karima para a Terra faz parte de uma operação de segurança sigilosa, portanto, meu pai, não podemos falar sobre isso aqui, para a proteção de todos nós.

Depois de ouvir essas palavras, o pai de Dalji levantou-se, despediu-se de mim tecendo elogios sobre a minha educação, disse que eu era uma moça muito bonita, e que esperava um dia voltar a me ver. Agradeceu minha visita e, antes de se recolher sem se despedir da filha, fez um comentário:

— Veja que interessante, Karima, existe um provérbio africano, e me desculpe se não me lembro mais de qual país, que diz o seguinte: *Uma família é como uma floresta, quando você está do lado de fora é densa, quando está dentro, vê que cada árvore tem seu lugar.*

Com certeza, entendi que ele não estava feliz com o distanciamento de Dalji de sua casa durante tantos anos. Olhei para a comandante e vi que uma lágrima escorria em sua face, mas, rapidamente, ela a enxugou. Evitando prolongar as questões de família, Dalji despediu-se da mãe que, por sua vez, pediu à comandante que se mantivesse em contato com eles, pois, antes de seu retorno ao espaço, queria que ela participasse de um ritual religioso em família, para reforçar a sua proteção.

Quando chegamos de volta ao centro de convivência, Bonami estava concentrado, em oração. Ele me pediu que fizesse um pouco de meditação, limpando a mente de pensamentos negativos e de sentimentos ruins como medo, insegurança ou raiva. Precisávamos ir ao templo com a alma leve e o coração amoroso. Assim o fiz e, realmente, depois da meditação, me senti completamente tranquila, pronta para seguir com ele. Na verdade, o mestre me preparou, pois sabia que eu estava indo para um encontro místico comigo mesma.

O ancestral

Segui com o Bonami numa espécie de teleférico até uma miniestação que ficava no topo de um monte alto o suficiente para requerer mais ou menos umas duas horas a pé. O mestre disse que, quando mais jovem, fez várias vezes aquele percurso pela trilha que leva ao templo e que, em geral, os que optam por ir a pé levam suas barracas para acampar e descem somente um ou dois dias depois. Chegamos em menos de quinze minutos, sempre subindo junto à montanha, observando sua rica vegetação, suas flores e plantas de folhas largas em verde- escuro. O templo era uma construção extremamente simples, uma casa baixa, de janelas e portas abertas, com paredes caiadas e bancos de madeira compridos, dispostos em posição circular. O espaço livre no centro era coberto com tapetes e almofadas coloridas espalhadas ao redor. Ao contrário do que eu imaginava, não havia nenhuma imagem, nem mesmo um altar. Uma senhora de cabelos bem curtos, usando uma túnica comprida e panos leves que se cruzavam sobre os ombros, mantinha as velas acesas em castiçais presos nos cantos das paredes, e fazia a substituição dos incensos quando eles terminavam de queimar. Bonami pediu que ela trouxesse um chá para três, e a convocou para um momento de meditação ao nosso lado. Seu nome era Selene, e ela fez tudo o que foi pedido com prazer.

Depois de tomarmos o chá, Selene deu início ao que parecia uma oração, mas poderia ser um mantra e, tanto eu quanto Bonami, fizemos as repetições conforme ela avançava com frases na língua Iorubá. Me mantive de olhos fechados enquanto uma dormência suave foi tomando o meu corpo, me colocando em estado de quase levitação. De repente, surgiu do fundo escuro dos meus olhos um rapaz que veio em minha direção e sentou-se bem diante de mim, na mesma posição de iogue em que estávamos. Ele tinha três cicatrizes verticais curtas de cada lado do rosto, aparentava uns trinta anos, e usava uma túnica vermelha, num tecido brocado, com desenhos geométricos em tons cítricos. Na cabeça, tinha um chapéu do mesmo tecido, uma espécie de gorro com a ponta dobrada caindo de lado e, no pescoço, um único colar de contas grandes de coral. Não tive coragem de abrir os olhos, pois fiquei com medo de que o rapaz desaparecesse. Ele começou a falar comigo, de um jeito calmo e com um meio sorriso:

– Sou Chiok! Vim de um tempo muito longe para saudar você e dizer que nós te amamos muito. Nosso país, a Nigéria, tem uma história rica, que vem desde dois mil anos antes da Era Comum. Depois de termos nos tornado o grande Império de Oió, um dos mais populosos dos povos da cultura Iorubá, passamos por muitos conflitos, fomos colonizados por ingleses, viramos mercadoria comercializada para os europeus e americanos e fomos escravizados por séculos. Outros países do continente africano também enfrentaram tempos muito difíceis. Nosso povo teve milhões de vidas destroçadas pelos sequestros em massa de nossos irmãos, levados para outros continentes na condição de escravos, mas também por guerras internas, com violência extrema, tortura, doenças e fome. Os colonizadores brancos não deixaram de agir sobre as cabeças de nossos dirigentes, e os que eram corruptíveis e gananciosos passaram para o pior lado da história. Quando se arrependeram, foram dominados. O resultado foi sofrimento e dor, por anos e anos, em razão da sede de poder.

Dentro da minha cabeça começavam a surgir sons e imagens que, aos poucos, iam ficando mais nítidas. Eu percebia pessoas reunidas em oração, algumas dançando e cantando em rituais, e outras tocando instrumentos como o dundun, atabaques, e batas. Um grupo aparecia numa gira em torno de Chiok, formando um cortejo de guardiões. Sem proferir palavras, perguntei por que ele tinha vindo de um tempo tão distante?

– Zaila, sua mãe, é descendente da minha linhagem, assim como você e o menino Rasul, que está em bom lugar no Orun. Zaila fez pedidos aos nossos deuses para que viéssemos te dar proteção, e foi ouvida. Estou aqui, pequena Karima, como representante de uma grande família que em toda a nossa existência vem construindo maravilhas. Nessa trajetória, temos parentes que passaram ao longo dos séculos se destacando nas artes como escultores, pintores, arquitetos, dramaturgos, poetas, atores, músicos, dançarinos. Isso sem falar nos escritores, cientistas, médicos, juristas, filósofos, enfim, são tantos os nossos talentos. Somos os criadores das esculturas de terracota da Cultura Nok, uma das artes mais importantes da África, que existe desde o Século IX antes da Era Comum. O mundo prefere datar a Idade do Ferro, como tendo se iniciado na Ásia, um mil e duzentos anos antes da Era Comum, mas eu lhe digo que nós já moldávamos o ferro no território do Niger, quatrocentos anos antes dessa época. Fomos capazes de superar até mesmo as tentativas de apagamento de nossos feitos, pois os brancos queriam que não restasse sequer uma memória positiva de nossa existência. O que foi pactuado entre os europeus e outros povos, que até hoje tentam dominar o mundo com a ideia de uma superioridade branca, era que só haveria um lugar para nós na história, o de perdedores, vindos de uma raça inferior, pobre em cultura, sem alma, com uma religião diabólica e incapazes de contribuir para a evolução da espécie humana. Mas estamos aqui.

— Nós chegamos ao espaço! Respondi mentalmente a Chiok, totalmente magnetizada por aquela pessoa diante de mim. Nunca antes eu havia passado por algo tão palpável e místico ao mesmo tempo. Era uma espécie de transe, do qual eu não queria sair.

Proteção

Meus olhos ainda estavam cerrados quando ouvi as palavras finais de Chiok:

— Fecharemos seu corpo quando for preciso. Fique tranquila e nada tema. O tempo é uma espiral e a distância é só uma ilusão. A nossa vitória é um processo de constante convicção e luta, e o entendimento de que nossos antepassados nos deram a vida e os bens espirituais que carregamos é essencial. Isso é muito precioso. Às vezes, sofremos as consequências dos erros deles, mas temos que identificar que erros foram esses, para que não se repitam. Nossas contribuições no presente influenciam no comportamento daqueles que estão adiante na mesma esteira. Jamais deixe de questionar os métodos e leis sob as quais os mundos se organizam, principalmente o seu. Tente perceber onde estão os erros para que possam ser corrigidos. Você é capaz disso. Nós nos orgulhamos de você e da forma amorosa como está caminhando, aprendendo e honrando nosso povo. Pense sempre em fazer o melhor, porque é isso que merecemos. Você tem o nosso amor!

Como quem leva um susto com um estalar de dedos, abri os olhos. Fechei de novo e havia só o escuro. Chiok não estava mais ali. As suas palavras me impressionaram tanto que permanecem em meus ouvidos como uma música, e tocaram meu coração num lugar sagrado, de grande afeto, onde estão os que vieram antes de mim. Olhei para Selene e Bonami, que mantinham seus olhos fechados, e caí num choro sentido. O que havia sido aquele encontro? A ligação que eu tinha com aquele homem era algo tão forte que eu podia sentir a energia da sua presença ainda muito próxima. Eu estava tomada por uma emoção que não conseguiria controlar, mesmo que quisesse, porque era algo essencial, vindo de uma fonte original e fortemente atada às minhas raízes. De repente, comecei a questionar tudo profundamente, inclusive a razão da minha existência, a minha missão, o meu resgate e até a permanência naquele planeta que eu não conhecia. E por que eu estava vivendo em Wangari com uma percepção distanciada sobre meus ancestrais, como se eles fossem apenas uma lembrança de uma existência longínqua? Eu nunca havia sentido a aproximação deles como aqui e agora, mesmo tendo estado em contato com as histórias, lendas e rituais da nossa religião ao longo da vida em Wangari. Chiok me deu a certeza de que eles estão comigo o tempo todo. Como seria minha vida daqui pra frente, longe disso? Saímos do templo sem que eu tivesse condições de conversar com Bonami sobre o que havia acontecido comigo ali. Estava tomada por uma verdadeira revolução dos sentidos. Precisava de um tempo para elaborar tudo e, quem sabe, me ver melhor por dentro.

 Quando voltamos ao centro de harmonia, eu ainda estava um pouco impactada. Encontrei Julião logo na entrada, e ele me disse que iria embora com Dalji, no dia seguinte, por causa de uma convocação de trabalho. Senti uma vontade grande de partir e pedi a Julião que me levasse com ele, mas a resposta foi que não seria possível, pois a investigação sobre o sequestro e sobre os atos criminosos de Saburi ainda não tinham acabado, e não seria seguro o meu deslocamento. Julião tentou me animar, dizendo que eu tinha muito a descobrir sobre a comunidade e muito a ouvir sobre a Terra. Eu entendia, mas a ideia de permanecer ali sozinha me desesperou. Tive um grande impulso de ir para o quarto, tentar um contato com meus pais e buscar neles um pouco de conforto, de colo, do afeto que só eles poderiam me dar naquele momento. Ao mesmo tempo, eu sabia que não podia me comportar como uma criança atordoada. Eu teria que esperar a permissão de Dalji, pois quem estava no comando de tudo, de minhas atitudes e até do que eu deveria pensar, era ela.

Em vez de entrar na casa, corri para o bosque nos fundos, e continuei correndo, até cansar e cair sentada embaixo de uma árvore frondosa. O choro veio aos soluços, mas dessa vez era por medo de ficar sem Dalji. Ela havia se transformado em meu apoio, minha força, a pessoa que eu mais queria ao meu lado. Ela estava indo embora e isso me causava dor. Olhei para as nuvens avermelhadas que precedem o anoitecer, e ouvi o bater de asas dos pássaros chegando em bandos para dormirem nos galhos da grande árvore. A partir de então, aquele lugar virou o meu refúgio.

A confraternização

Em Wangari, era época do encontro mensal que acontece há anos, e reúne as famílias num grande evento cultural para promover a interação do maior número possível de descendentes dos fundadores das diversas regiões da África. A troca de experiências é para que os mais velhos continuem repassando as lendas, os rituais espirituais, receitas, utilização de ervas medicinais, expressões artísticas e a língua nativa de seus ancestrais para os jovens. O encontro é num grande ginásio de confraternização, com lugar suficiente para que os grupos étnicos possam ter um espaço seu, e para que antes do final do dia se unam para ouvir dos membros da União os conceitos básicos fundamentais que servem a todos, e que alicerçam a vida em Wangari. A memorialista Zaila sentou-se ao lado do marido em uma mesa reservada à sua família e sentiu demais naquele momento a falta de Karima. Desde a morte de Rasul, ela sempre lamentava não ter o filho junto deles na comemoração mensal, e agora, com a ausência dupla, ela estava profundamente triste. O ministro cumprimentava formalmente as pessoas que se aproximavam deles e, quando viu Saburi entrando no ginásio, preferiu levantar-se e convidar minha mãe para um breve passeio no jardim ao redor. Zaila concordou e seguiu em silêncio ao seu lado, olhando as estrelas e Maat, em seu círculo quase completo. O coração de Malique estava inquieto porque não via a hora de poder conversar com a esposa sobre o meu destino. E foi ela quem puxou o assunto:

— Não se preocupe, Malique. Sei que nossa filha está bem, e que não retornará agora. A saudade é inevitável, mas essa tristeza vai passar logo assim que ela estiver de volta.

Os dois se abraçaram e a memorialista sentiu que aquela festa poderia ser uma oportunidade para que ela avançasse sobre a mente de Saburi sem correr grandes riscos. Era uma ocasião de descontração em que todos procuravam estar mais leves, deixando para trás suas preocupações, aproveitando para relaxar, rir e conversar com os amigos. Ela estava determinada a descobrir alguma prova da responsabilidade do conselheiro no sequestro. Assim que foi anunciado o pronunciamento do membro mais velho do Conselho Popular da Nação, o casal voltou ao interior do ginásio. Era um protocolo tradicional muito esperado pelos presentes. Jafari Mensah, de 85 anos, descendente de bininenses, relembrou os princípios da fundação:

— É com alegria que venho aqui para reforçar as nossas metas primordiais. Continuemos fiéis aos princípios da preservação da igualdade de gênero e de direitos, liberdade de pensamento e de conexão espiritual, estímulo à criação e desenvolvimento de dons em todas as áreas. Atenção total às crianças e aos mais velhos, nenhuma tolerância a atitudes que desrespeitem os marcos civilizatórios e a natureza, ou seja, a meta é o máximo de harmonia na convivência entre os seres. Quero lembrá-los também que, embora o inglês e o português tenham permanecido como línguas ainda muito usadas, é fundamental que reconheçamos nelas a expressão dominante dos colonizadores sobre nossos povos, e que os descendentes conheçam e convivam com as línguas originais africanas, já que elas são parte importante de nossa herança cultural. Desde o início, é do entendimento de todos em Wangari a grande responsabilidade do ato de se contar as histórias e lendas dos antigos, e ensinar as línguas nativas, para que não se perca essa riqueza e sigamos norteados pelo projeto milenar de resgate de nossa identidade.

Foram muitos os aplausos, logo seguidos de músicas e danças típicas. Saburi também parecia estar realmente alegre, pois já havia passado suas instruções a Galeano e estava certo de que em poucos dias a missão estaria concluída. Enquanto o ministro Malique conversava com um amigo da comunidade, Zaila acompanhava Saburi de longe, com o olhar fixo, tentando se concentrar na imersão que começava a realizar.

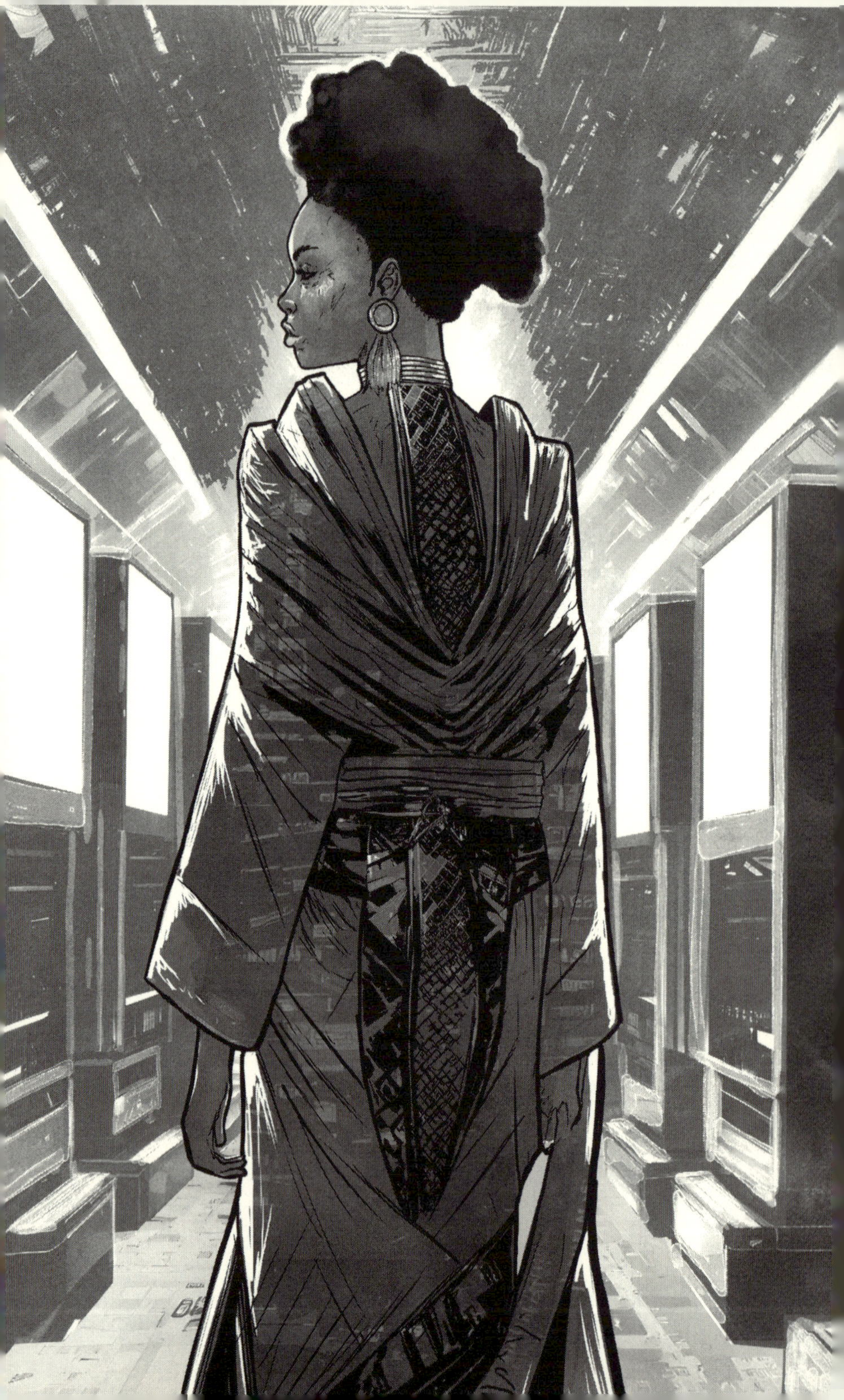

Avanços

Minha mãe finalmente conseguiu a entrada na mente de Saburi pelo canal aberto de dados, e agora tinha que dar um jeito de descobrir os registros dos últimos dias. No início, as informações pareciam misturadas, mas, de repente, foi se revelando uma coordenada pouco nítida mas com um sinal persistente. Na impossibilidade de fazer surgir sua tela naquele local, Zaila pegou o dispositivo móvel que tinha na bolsa, ligou o aparelho, e a imagem ficou nítida. Então, ela pôde ver Galeano na bancada, em frente ao computador. Quando se concentrava no que o inventor estava fazendo, ela avistou Saburi vindo reto em sua direção, e teve que desconectar-se imediatamente. O conselheiro lhe dirigiu um cumprimento com um semblante inquisidor, meio desconfiado. Ele havia sentido a invasão, mas não tinha certeza de onde tinha vindo. Foram tantos os canais clandestinos que ele criou para si mesmo que não poderia precisar se a investida teria partido de Zaila. A memorialista sorriu para ele, tentando mostrar naturalidade, levantou-se e foi juntar-se ao marido. Faltou pouco para que minha mãe descobrisse o que estava sendo tramado, mas ela não desistiria, e esperaria por uma nova oportunidade. O processo inicial do caminho para chegar de novo até o homem do computador ela conseguira armazenar em local seguro de sua mente, protegido dos seus canais abertos às autoridades.

Em mais um amanhecer na Terra, meus olhos estavam um

pouco inchados, pois eu havia chorado várias vezes durante a noite, me lembrando de meus pais, de Akin, Rasul, e de todos os que eu não estava vendo havia tempos. Nessa lista, entrou também Dalji, com quem eu não tive coragem de conversar ontem, depois que soube que eles partiriam. Logo no início da noite subi para o quarto, alegando um pouco de indisposição. Mas eu sabia que era inevitável uma conversa com a comandante pela manhã, antes de sua partida. Me vesti, criei coragem e desci para o café. Lá estavam todos à espera de Bonami para o ritual de agradecimento, e a tripulação pronta para viajar em seguida. Oramos, agradecemos e comemos num ambiente mais silencioso do que o habitual. Dalji me conduziu até a varanda, sentamos cada uma em uma rede e ela quis saber se eu estava melhor da indisposição. Respondi que sim, e mal conseguia olhar diretamente em seus olhos. Então Dalji me explicou que havia recebido uma mensagem de meu pai, lhe pedindo uma reunião na Base da FSEI, que ficava distante pelo menos uma hora de viagem no trem supersônico. O ministro tinha sido procurado por Akin, que queria formalizar uma denúncia de manipulação indevida de sua mente, com objetivo de conseguir informações confidenciais sobre o meu destino. Dalji estava otimista, pois havia recebido os resultados das análises das imagens do momento da minha fuga, com a identificação do rapaz que eu golpeei no cativeiro, e cujo capuz saiu quando eu o joguei ao chão. O rosto dele ficou quase totalmente à mostra num canto da minha visão periférica, captada pelo monitoramento da FSEI. Então, foi feito o reconhecimento facial, e o das digitais, a partir da ampliação de fotogramas de uma das mãos que aparecia espalmada. O rapaz trabalha como paisagista e cuida do jardim da casa de Saburi. Por enquanto ele nega a participação no sequestro, pois o ato lhe foi retirado da memória pelo conselheiro. Temos que esperar a finalização da coleta de dados de uma região mais profunda de sua mente para confirmarmos a manipulação promovida por Saburi, além das marcas provocadas pelo golpe e pela queda de seu corpo.

— Veja bem, Karima, não espero que meu afastamento seja por muito tempo, mas é necessário, já que todas as informações e imagens desse caso estão sendo reunidas na Base da FSEI e eu sou responsável pelo processo. Julião irá comigo porque está sendo requisitado para análise de cálculos, mas Erasto permanecerá aqui, fazendo a sua proteção.

A notícia de que Erasto ficaria me deixou um pouco mais animada, pois eu estava emocionalmente dependente daquela equipe, e só soube o quanto, no momento em que considerei a possibilidade de ficar sozinha. Agora eu me sentia melhor e conformada em me distanciar de Dalji, até porque a minha volta pra casa dependia do resultado de sua missão.

Afrocentricidade

O carro voador parou à frente do centro de convivência para conduzir Julião e Dalji ao local de partida do trem supersônico. Pensando em me ocupar, mestre Bonami propôs que eu aproveitasse a manhã me reunindo com duas avós e seus netos, para aprender com eles sobre plantas curativas. Entretanto, no período da tarde, eu teria que estar pronta para ouvir uma djele de 75 anos, cuja origem era o Mali, na África do Oeste. A pedido de mestre Bonami, ela visitava o centro de convivência anualmente, e vinha falando, a cada visita, sobre a trajetória do povo negro na Terra, desde o início dos tempos, quando surgiu a primeira mulher na África. Perguntei a Bonami o que significava aquele título, e ele explicou que era o nome dado a uma categoria de mestres da oralidade, e que as pessoas que tinham esse dom eram também conhecidas como *griots*, para homens, ou *griotes*, para mulheres. Esse último termo, entretanto, havia sido popularizado pelos colonizadores franceses e vinha da palavra "criado", um significado inadequado para intitular os tradicionais contadores. Bonami disse também que Chloe já estava adiante em suas narrativas, e o assunto da tarde de hoje seriam figuras que se destacaram na história de resistência à escravidão e na luta pela nossa liberdade na diáspora forçada para as Américas, desde o Século XVI. Eu esperei ansiosa por sua chegada naquela tarde. Me interessava muito ouvir sobre países como Brasil, Estados Unidos, e outros lugares para onde os africanos foram levados à força na travessia do oceano Atlântico. Era sabido por todos que a escravidão negra havia durado mais de três séculos e que, mesmo depois de proibido o sequestro e tráfico de pessoas, algumas colônias ainda continuaram com o sistema escravagista por vários anos, explorando os que não puderam voltar para a África e seus descendentes, os filhos da diáspora. Foram muitas as maneiras instituídas pelos governantes europeus e americanos, que usaram, inclusive, de mecanismos legais, para impedir que a nossa cultura, nossa língua, nossos hábitos e religiões subsistissem em outras terras.

Embora eu não tivesse vivido esse estado de opressão, de exploração e de aniquilação que o povo branco exerceu com violência sobre os negros, havia uma memória registrada dos atos criminosos, das torturas, dos estupros e dos assassinatos, a partir do acervo que tínhamos sobre fatos históricos, e, principalmente, pela tradição oral que era mantida viva ao longo das gerações. Em Wangari, não existia uma experiência de supremacia racial, mas a grande maioria da população do planeta é formada por negros. Aos poucos, algumas pessoas negras de pele mais clara foram chegando, os que descendem de uma geração de filhos de negros da diáspora, que se relacionaram com pessoas brancas na Terra. Eles são igualmente recebidos e lembrados sobre a importância do protagonismo de sua ascendência africana. A organização social, política e econômica de Wangari foi fundada sob o paradigma da afrocentricidade. Todos os cidadãos do planeta se reconhecem e atuam a partir da sua própria imagem, e não sob a égide da cultura de um colonizador. Nossa forma de vida e nosso comportamento têm como base a África, unindo tecnologia avançada às características culturais de nossas origens, nossa música, nossa dança, nossas religiões, lendas, e nossos costumes. Esses costumes se mantêm na culinária, vestimentas, penteados e adornos; enfim, em toda a nossa produção artística.

Desde cedo, na educação familiar, crescemos sabendo que as mulheres negras guardam as histórias de um tempo em que, dominadas pelo colonizador, passaram por provações, não só como escravizadas, mas também por um longo período que veio depois da abolição. Por muito tempo, elas sofreram as consequências da interseccionalidade, por serem mulheres, por serem negras e por ocuparem uma classe social desprovida dos privilégios que tinham as mulheres brancas. E ainda assim as mulheres negras resistiram e ensinaram seus filhos a não terem medo, a constituírem um orgulho de sua raça e a preservarem o direito a sonhar com a liberdade e a vitória. Nomes como da estadunidense Angela Davis e da brasileira Lélia Gonzalez serão eternas referências de lideranças que dedicaram suas vidas a combater as desigualdades múltiplas que comprimiam as mulheres negras. Em Wangari, as mulheres negras são verdadeiras fortalezas, são rainhas, livres para exercerem atividades de qualquer natureza, e são tratadas com respeito e igualdade.

O pássaro

Num sobrevoo circular, leve e contínuo depois de ter percorrido uma distância relativamente longa, um drone de metal coberto por penas de araras azuis, vem lentamente na direção de Galeano, que o está operando com um controle nas mãos. Finalmente ele havia chegado à versão final da máquina que atingira a quase perfeição de movimentos e estava voando cada vez mais longe, na forma de um pássaro. O drone carregava a minha identificação e, ao me encontrar, ejetaria o dardo com o veneno me atingindo nas costas ou no peito, onde o efeito letal da substância aconteceria com maior rapidez. Durante o voo, o pássaro estava emitindo um pequeno ruído de motor, e Galeano queria que ele voasse completamente silencioso, para não correr o risco de ser notado antes da hora. Após esse ajuste de som, e correções no modo de voo em planagem contínua para longa distância, estaria tudo certo. Galeano recolheu o drone e resolveu trabalhar no projeto por toda a tarde.

Ninguém mais perguntava por mim em Wangari. O meu desaparecimento havia deixado de ser curiosidade e novos assuntos surgiam, como, por exemplo, a implantação na comunidade de um novo sistema para aperfeiçoamento dos serviços domésticos, limpeza das ruas e manutenção de equipamentos eletrônicos, tudo feito por robôs. Na Terra, antes do estado de emergência pelo aquecimento global, essa tecnologia estava bem desenvolvida, e havia países onde os robôs já eram usados para conduzir veículos, passear com animais domésticos, cozinhar e arrumar toda a casa, executando tudo o que é necessário para colocar o ambiente em ordem e alimentar os seus moradores. Em Wangari, o sistema de última geração não tinha sido implantado ainda, e os robôs mais antigos já estavam apresentando defeitos. Os que cozinhavam, por exemplo, não eram mais confiáveis e, a qualquer momento, poderiam deixar queimar as panelas ou até mesmo provocar um incêndio. Para minha mãe, o fato de as atenções de todos estarem voltadas para essa substituição dos robôs nas residências, com o dia de dispensa do trabalho, era a oportunidade que ela esperava para tentar refazer o caminho até Galeano sem ser interrompida.

 Antes de fechar-se em seu quarto, ela programou a inteligência artificial que monitorava a nossa residência, para que não deixasse ninguém entrar sem o seu consentimento. A memorialista sentou-se confortavelmente em sua poltrona, respirou fundo e iniciou o processo de esvaziamento da mente, buscando imagens comuns da natureza, barulho de água corrente, sons de pássaros e paisagens longínquas com pôr de sol no horizonte. Aos poucos, ela foi relaxando e procurou na área particular de dados as coordenadas que estavam guardadas, e que a levavam até o homem no computador. Por sorte, o sinal não demorou a estabilizar. Ela então abriu a tela virtual em sua frente e pôde ver Galeano trabalhando no drone, o pássaro azul em pleno voo no seu quintal. Mas minha mãe precisava entender a ligação daquela cena com os planos de Saburi. Por que o conselheiro havia contactado aquele homem, e o que significava aquela máquina? Num esforço ainda maior de concentração, Zaila conseguiu entrar na região da memória recente de Galeano e ali recuperou as instruções de

Saburi, ao encomendar o que ele chamava de arma, tendo a mim como o alvo a ser eliminado. Ainda faltava saber com precisão o local onde estava o homem. Ela então acionou uma plataforma que em segundos mapeou a imagem e lhe deu o resultado: Terra, Costa Atlântica da África Ocidental, Gana, cidade de Acra. O satélite seguiu com um *zoom* no terreno, passando sobre montanhas de lixo e prédios abandonados, até mostrar de perto a casa de Galeano, e não muito longe estava a base de recepção das naves, a floresta e o vale do mestre Bonami. Minha mãe não teve mais dúvidas, Saburi sabia que eu estava no centro de harmonia, e o homem com o drone se preparava para cumprir suas ordens e me atingir.

Essas descobertas deixaram minha mãe apreensiva e ela precisava logo trocar informações com meu pai e esclarecer tudo o que faltava para que eu pudesse ser salva. Enquanto a memorialista se aprontava para sair, a campainha tocou e a secretária artificial avisou que era Akin. Sua entrada foi permitida e, assim que Akin se viu diante de minha mãe, chorou como criança, a abraçou e pediu seu perdão. Depois disse que estava indo ao prédio da União Soberana para delatar o conselheiro, pois agora ele estava equilibrado emocionalmente e tinha certeza de que Saburi manipulara a sua vontade, e o obrigara a contactar Karima, para descobrir o seu paradeiro. Akin havia pedido ao meu pai que o recebesse, e que avisasse às autoridades que ele faria uma acusação formal contra Saburi por quebra de ética, baseado nas leis do acesso pela telepatia.

As mais velhas

Por mais de uma vez, minha mãe perguntou a Akin
— Foi através de você que Saburi conseguiu localizar Karima? É isso mesmo?

— Sim, ele me levou a um estado de confusão mental, mas, aos poucos, pelo maneirismo da fala e a forma cruel com que se referia a Karima, concluí que a voz era dele. Ele me induziu a insistir no contato com ela para pegar as coordenadas da nave e para onde estava indo.

— Está certo, então vamos juntos conversar com Malique. E pare de chorar, Akin! Você vai precisar demonstrar muito equilíbrio quando estiver depondo na União Soberana.

No Centro de Harmonia Ambiental, seguindo a orientação do mestre Bonami, antes da chegada da djele Chloe, acompanhei a conversa de duas avós com seus netos, e depois o plantio de plantas curativas num canteiro da horta da comunidade. Avó Fayola tinha em mãos a muda de uma planta que parecia uma espada verde dentada nas laterais e, enquanto ela abria um sulco na terra, as crianças se acomodaram em torno da senhora para ouvi-la. Eu também me aproximei e fiquei agachada, bem atenta, na mesma altura dos pequenos. Avó Fayola ergueu a muda e começou a explicação:

— Essa é a babosa, uma planta do norte da África, que depois se espalhou pelo mundo todo, e que os egípcios chamavam de planta da imortalidade.

Nessa hora ela tirou da bolsinha de couro que levava a tiracolo uma pequena faca e com ela fez um corte longitudinal na folha da babosa.

— Estão vendo esta polpa transparente que parece uma geleia? Pois aqui está a cura para muitas doenças e também para fortalecimento do corpo por dentro e por fora. Os cabelos, a pele, as unhas ficam mais bonitos quando você usa a babosa como tratamento. Os nossos antepassados diziam que essa planta cura câncer, diabetes, queimaduras, doenças do intestino e até gengiva inchada. Ela é remédio para muitas coisas. Mas prestem atenção. A muda não deve ser plantada em dia de chuva, porque ela não vinga. Se não tiver chovido dois dias antes, podem plantar. Entenderam?

As crianças tinham de cinco a seis anos em média, e um menino muito alegre, de olhos negros e grandes, que me lembraram os de Rasul, pediu que a avó o deixasse plantar. Todos acompanharam o passo a passo até o final, com as pequenas mãozinhas assentando a terra em volta da muda. Nesse mesmo dia, outra planta, que parecia uma flor com pétalas arrocheadas, também nos foi apresentada. A avó Bintu remexeu a terra do lado oposto do canteiro, dizendo que aquele tipo de hortaliça não deve estar misturada com outras espécies.

— Essa planta também é do norte da África, mas, ao contrário da babosa, precisa de umidade no solo e tem que pegar sol. Seu nome é alcachofra.

Ela ressaltou o grande poder da alcachofra para combater o raquitismo, doença que aparece por causa da desnutrição. Tem quem ache ela meio amarga, mas, refogando as folhas na manteiga e usando as partes mais moles, elas ficam bem gostosas. Dessa vez, foi Ayana quem plantou, uma menina de sete anos, cheia de energia.

As crianças checaram se a experiência havia ficado gravada em seus dispositivos móveis, para uma posterior revisão e realização de trabalhos escolares sobre as plantas. O encontro com as avós me comoveu, pois o meu fascínio pela energia das plantas me mantinha conectada à natureza de maneira profunda e afetiva. Em Wangari, esse conhecimento ancestral não vinha com frequência através da oralidade, embora fosse estimulado pelos dirigentes, mas parecia mais fácil que se recorresse a um grande arquivo digitalizado de catalogação de plantas medicinais que ficava à disposição de qualquer um. Quando a atividade acabou, já era hora do almoço, e todos foram se lavar antes de se sentar à mesa. Aquele era um dia especial, pois uma grande parte de moradores da comunidade, incluindo as crianças, permaneceriam na casa durante a tarde para ouvir a djele Chloe.

Na hora esperada, o carro voador parou em frente ao Centro e de dentro dele desceu uma senhora negra, de pele bem escura, com uma bengala de madeira e punho prateado em forma de bico de ave, muitos colares e um lindo turbante multicolorido, tendo o predomínio do amarelo na base da cabeça. Era a djele Chloe, que foi recebida com uma algazarra das crianças lhe abrindo o caminho, e com reverências dos adultos que se inclinavam diante dela. Em uma das mãos, ela carregava um xequerê, uma cabaça com um corte na extremidade superior, coberta com uma rede de contas coloridas. O xequerê soou involuntariamente quando Bonami e Chloe se abraçaram. Ela tomou as mãos do mestre, levou-as junto aos seus colares pendurados no peito e lhe abençoou. Estavam todos ainda a caminho da varanda, no espaço aberto do jardim, quando se ouviu um gorjear sonoro de uma arara que voava alto sobre o local. Chloe levantou a cabeça, viu o pássaro longe, juntou as sobrancelhas e me lançou um olhar pensativo no exato momento em que me uni ao grupo. Mestre Bonami fez as apresentações:

— Esta é Karima, uma jovem engenheira de Wangari, que está há algum tempo aqui conosco nos dando o prazer de sua companhia, aprendendo, ensinando e conhecendo o planeta de seus ancestrais. A djele pegou minhas mãos, repetiu o gesto que tinha feito com Bonami e me abençoou em silêncio. Eu fiz um esforço para entender o sorriso enigmático, que ela me enviou, mas havia nele uma mistura de tantos sentimentos: interesse, afeto, preocupação, proteção, alegria, tudo isso junto. Cheguei a ficar em dúvida se a respeitada djeli tinha gostado de mim. Fomos todos para a varanda onde já havia uma poltrona confortável, especialmente preparada para a acomodação de Chloe, com almofadas macias para apoio das costas e dos braços. A djele tão esperada por todos era realmente um ser de luz, e, antes de qualquer coisa, me chamou para junto dela e começou a falar:

— Você é muito forte, Karima, e sei que está aqui contra a sua vontade. Mas preste atenção, e acredite que esse será um período muito importante para a sua vida. Você já foi orientada de que está sob a proteção espiritual dos seus ancestrais. E saiba que uma divindade muito poderosa está acompanhando os seus passos, desde a sua chegada. É o guardião dessas matas que está contigo todo o tempo, e isso não vai mudar, porque assim está escrito. Fique tranquila e lembre-se deste provérbio africano bem popular: *Quando não existem inimigos interiores, os inimigos exteriores não conseguem ferir você.*

Roda da oralidade

A djele Chloe preferiu beber um copo de água pura e fresca, em vez do vinho de palma que lhe foi oferecido. Sorriu para todos, passou a mão na cabeça de alguns dos pequenos ouvintes e ajeitou-se na poltrona. Depois de respirar fundo algumas vezes, manuseou a rede do xequerê produzindo uma pontuação sonora, e falou num tom de voz firme e projetado, como se estivesse num palco:
— O que vim contar nesta tarde tem a ver com a palavra resistência, porque ainda hoje nós temos que viver resistindo a muitas coisas estranhas neste mundo. Vocês já sabem o que é Maafa, o grande desastre da captura e comercialização de nossa gente, levada a outros continentes para ser escravizada por brancos, e o esforço que tivemos que fazer para sobreviver ao longo de séculos. Todas as vezes que vocês ouvirem essa história, é muito importante que se lembrem dos nomes e dos feitos heroicos de pessoas negras que resistiram à escravidão, o grande desastre, que durou mais de trezentos anos, e que seguiu nos empurrando para a beira do abismo.
A djele então se levantou, tocou o xequerê, fez uma dança girando em torno de si mesma e entoou baixinho uma cantiga do Mali, seu país natal. Só depois continuou:
— Mestre Bonami me pediu pra contar as histórias do período do grande sequestro. Elas correm por toda a África, e é preciso sempre relembrá-las. Hoje eu vou falar sobre a diáspora brasileira, com a invasão dos portugueses ao continente africano,

entre os Séculos XVI e XIX. Antes de se lançarem ao mar em embarcações para capturar nossa gente, os invasores começaram o malfeito destruindo os indígenas, os povos originários do Brasil, matando, envenenando e fazendo toda sorte de maldades. Depois vieram nos sequestrar e, num regime cruel, nos fizeram trabalhar sob chuva e sol nas plantações de café e cana-de- açúcar, além de nos obrigar a construir suas casas, igrejas, mercados, portos, enfim, tudo o que esses europeus precisavam para viver como donos do Brasil.

Eu ouvia Chloe atentamente, embora, em Wangari, já tivesse estudado sobre o período de escravidão negra na Terra. Mas a história contada pela voz, pelo gestual e pela musicalidade da djele era como se fosse a narrativa de alguém que tivesse viajado no tempo, encontrado seus ancestrais, que viveram aqueles fatos, e depois estivesse ali conosco, como testemunha viva para nos contar.

— Foram muitos os heróis que resistiram e lutaram para libertar o nosso povo escravizado lá do outro lado desse mesmo mar que vocês veem daqui desta cidade. O mar do Atlântico guarda segredos, dores e almas de nossos antepassados. E corpos também, porque muitos morreram no mar, lançados pelos tripulantes, ou por terem preferido o suicídio nas águas a enfrentar a barbárie que lhes reservava o final da viagem. Os africanos que chegaram como escravos no Brasil tiveram seus filhos naquelas terras, e esses filhos, por um longo tempo, já nasciam na condição de escravos. Mas nosso povo não se rendia às injustiças que lhes eram impostas. Um desses brasileiros da resistência e luta na diáspora é Zumbi dos Palmares, e eu já falei aqui pra vocês sobre os seus feitos. Nesse ponto, Chloe recorre a um tom mais agudo da cantiga, inicia um som ritmado girando o xequerê na palma da mão, enquanto se aproxima dos ouvintes sentados no chão da varanda à sua volta. Depois vai ao centro da roda e anuncia:

— Hoje vou falar sobre a princesa Zacimba, da nação de Cambinda, em Angola, que foi capturada quando liderava seus guerreiros durante uma invasão à região costeira angolana por tropas portuguesas. Assim como ela, alguns de seus súditos também sobreviveram ao ataque, mas foram todos levados Atlântico afora, e vendidos a um fazendeiro português no Brasil. Quando esse homem branco soube que Zacimba era uma princesa, a violentou e torturou de várias maneiras para humilhá-la diante de seus compatriotas, e para deixar claro que se algum deles tentasse se rebelar ele mataria a sua soberana.

Eu ouvia impressionada a dramática narração e tentava absorver tudo o que podia daquele ritual. Sobre esse país chamado Brasil, o que eu sabia era que, na época do seu descobrimento e por mais de seis séculos depois, existiam lá muitas riquezas naturais, praias paradisíacas, montanhas, e uma infinidade de pássaros coloridos. Lá também era o *habitat* de onças, lobos, cobras, jacarés, macacos e peixes de todo tipo nos rios e nos mares. No país viviam inúmeras nações indígenas e lá ficava a Amazônia, uma das maiores florestas do planeta Terra. Depois da chegada dos africanos, a população era formada, em mais de sua metade, por negros, brancos e, em menor número, por indígenas. Mas, nos livros que li sobre a colonização e a chegada da globalização, a destruição foi crescendo, por conta da má condução dos governantes e da cobiça. As pessoas pobres viviam nas grandes cidades, sem condições decentes de sobrevivência. Os ricos, a chamada elite, eram poucos, e acumulavam grandes fortunas. O Brasil nunca teve igualdade racial, e o povo negro foi lançado à miséria logo após a abolição da escravatura. Houve a recusa de seus dirigentes a darem condições de trabalho aos negros. Foi negado a eles também o direito ao estudo e ao compartilhamento de seus valores culturais e religiosos. O que permaneceu foi a distribuição desigual de recursos e a exploração econômica sobre os mais pobres. O povo brasileiro teve que sobreviver com saúde, educação e alimentação precárias.

Mas Chloe continuou a história da princesa Zacimba, girando de novo o xequerê, em meio aos olhares muito atentos e curiosos dos jovens e dos pequeninos.

– Zacimba sabia que existia naquelas terras uma cobra cujo veneno, para ser eficaz, deveria ser aplicado aos poucos. Então, ela foi colocando todos os dias na comida do português um pouco do veneno da jararaca, que seus fiéis preparavam, torrando e moendo a cabeça do animal, até que o homem branco morreu e eles conseguiram escapar. Zacimba então formou um grupo que atacava os navios negreiros que aportavam no cais de São Mateus, num lugar chamado Espírito Santo. Ela libertava os africanos aprisionados e os levava para o seu quilombo, que existiu por uma década. A princesa foi morta quando combatia num desses resgates nos navios negreiros, mas nós continuamos contando a sua história, porque são muitos os heróis, e não podemos deixar que sejam esquecidos. Nosso povo carrega em si um imenso orgulho do que fomos, desde sempre, do que continuamos fazendo agora, e do que vamos fazer lá na frente, no futuro ainda mais longe. E a velha senhora saiu dançando, girando em volta de si mesma, tocando seu instrumento e cantarolando mais uma ritmada canção malinesa. A audiência acompanhava os movimentos batendo palmas, com alegria e êxtase.

Resistência

Desde o último encontro familiar em Wangari, Saburi estava inquieto, desconfiando de minha mãe, e de que alguma coisa estivesse fugindo de seu controle. Depois de uma nova conexão com Galeano em caráter de urgência, ele exigiu que o ataque contra Karima acontecesse rapidamente, de preferência em poucas horas. Galeano explicou que precisava fazer mais simulações com o drone para que o dardo envenenado fosse realmente certeiro. Além disso, tinha que esperar o momento em que eu estivesse num lugar longe do Centro de Harmonia Ambiental para que não houvesse tempo de que alguém me socorresse. Na verdade, Galeano previa que seu trabalho ainda levaria pelo menos mais dois ou três dias para ficar perfeito.

A djele Chloe deu continuidade à sua *performance* por mais duas tardes, ilustrando, ora com o canto, ora com desenhos corporais, a diáspora do povo negro no Brasil. Falou sobre a grande contribuição que os africanos levaram àquele país, com seu conhecimento de alimentação, remédios naturais extraídos de ervas, linguística, arte, religião e tecnologia. O trabalho dos ferreiros, por exemplo, era especializado, pois envolvia a extração e a fundição do material, habilidades que não eram conhecidas dos europeus, enquanto na África Central o povo Bantu era sábio neste ofício. Esse conhecimento foi transferido ao Brasil desde a chegada de homens e mulheres dessa nação como escravizados e continuou por seus descendentes através do Século XIX.

Na despedida da djele, Bonami comentou que, provavelmente, eu não estaria com eles na próxima vinda de Chloe, o que aconteceria só no ano seguinte. A senhora avisou que, em seu retorno, iria contar a história do que havia acontecido na América do Norte, a partir do início do Século XX, depois do fim da escravidão. Sobre os Estados Unidos, ela iria explicar o surgimento das leis segregacionistas, que separavam negros e brancos nas escolas, em repartições públicas, áreas de diversão e proibiam até casamentos inter-raciais. Mas não deixaria de ressaltar o movimento dos afro-americanos pelos direitos civis.

Em conversa com Bonami, falei sobre a dificuldade de encontrar dados que revelassem o que aconteceu no Brasil após a abolição do regime de escravidão. Procurei muito, mas percebi que há pouca informação nos arquivos em Wangari. O mestre explicou então que o conhecimento por escrito, de certa forma, foi se perdendo, principalmente por interesses de governantes em fazer com que aqueles papéis deixassem de existir. Documentos como notas de compra e venda, trocas e leilões que comprovavam a prática da escravidão naquele país foram queimados, por aconselhamentos de juristas, sob o argumento de que tudo aquilo poderia ser usado contra o Estado, com pedidos de indenização por parte dos fazendeiros. O conhecido advogado Rui Barbosa foi um dos que compactuaram com isso, porque, na realidade, eles não queriam que existissem provas desse crime hediondo. Mas Chloe e outros djeles têm bem guardados na memória os fatos que ouviram dos que vieram antes, e que estão sendo contados a cada geração, pois só assim esses acontecimentos da história não cairão no esquecimento por completo.

Erasto, que havia acabado de chegar, percebeu que nosso assunto era o período ainda terrível, do final do Século XIX até meados dos Século XX, em que foram tantas as tentativas de apagamento que nosso povo sofreu, que parece um milagre que estejamos aqui.

— É realmente incrível a força que herdamos de nossos antepassados, Karima. Desde os mais distantes, até os mais recentes, eles vivenciaram um verdadeiro apocalipse aqui no planeta Terra. E assim mesmo o povo negro continuou resistindo. Nós é que merecíamos ser indenizados, mas isso nunca aconteceu, apesar da solicitação oficializada por muitos países africanos e por populações negras das diásporas. Nas primeiras décadas do Século XX, chegou-se a criar um projeto de extermínio de negros, indígenas e judeus, para que o mundo fosse ocupado apenas pelos considerados arianos. Veja isso! No Brasil mesmo aconteceu uma adesão ao movimento chamado eugenista, liderado por um médico chamado Renato Khel. Esse médico engajou-se numa corrente internacional que tentou impor a ideia de supremacia branca que se espalhava pela Alemanha, Inglaterra, Estados Unidos e outros países. Renato Khel, considerado "o pai da eugenia brasileira", apostava que os indígenas e os negros desapareceriam naturalmente, em mais ou menos cem anos, frente à superioridade da raça branca. Para isso, bastava que se colocasse em curso um projeto combinando esterilização dos "degenerados", como eles chamavam negros, índios e pessoas com algum tipo de deficiência, e a proibição de casamentos entre pessoas de raças diferentes. E, pasme! A eugenia teve adeptos entre os intelectuais também. Um deles foi o famoso escritor Monteiro Lobato, além de cientistas, juristas, Igreja Católica e até professores. Todos racistas. Passaram-se séculos, e o que vemos é que o movimento fracassou, pois nós estamos espalhados pelo mundo, em grande número. Isso também se chama resistência.

Quando Erasto mencionou a palavra resistência, me lembrei de meus pais e do que poderia estar acontecendo com eles em Wangari. Como teria sido a reunião a distância entre meu pai e Dalji, e em que estágio estaria a investigação sobre o meu caso?

Os depoentes

O depoimento de Akin na União Soberana demorou mais do que era o esperado. Ele foi questionado muitas vezes por todas as autoridades, algumas delas até repetindo as mesmas perguntas, para que se tivesse a certeza de que ele sabia o que estava dizendo, e que não iria cair em contradição, mudar versões ou omitir detalhes. Akin foi forte, pensava em mim o tempo todo, e em como aquele seu depoimento poderia ser fundamental para que se tomassem providências em favor da minha vida. A União Soberana queria ouvir minha mãe logo depois de Akin, mas seu depoimento ficou para o dia seguinte, pois não seria simples, dada a gravidade do que significaria uma indevida utilização do seu dom com o objetivo de prejudicar Saburi, uma autoridade reconhecida pelo poder instituído. A partir daquele momento, ela teria que ficar hospedada em uma suíte individual, guardada por seguranças, e só poderia falar com meu pai, com Akin ou com qualquer outra pessoa depois de depor.

Tive muita vontade de me comunicar com minha mãe naquele dia. Alguma coisa me dizia que ela estava apreensiva, entristecida e precisando me ver. Cheguei a tentar um contato, mas não havia sinal. Concluí que o haviam interrompido, e eu daria tudo pra entender o que estava acontecendo com ela em Wangari. A falta de notícia sobre a reunião de Dalji na Base da FSEI também estava me deixando completamente atordoada. Procurei por Erasto, pois tinha esperança de que a comandante tivesse falado com ele sobre o assunto. Fui encontrá-lo na sala de computadores, fazendo consultas sobre o desenvolvimento das outras comunidades de harmonização ambiental que funcionavam em outros países.

— Estou colhendo dados sobre a comunidade que fica na Coreia do Norte, e sobre os avanços que eles estão conseguindo na recuperação das estações de tratamento de esgoto. Com a elevação dos níveis dos oceanos, o mar do Japão, que era considerado um mar marginal pelo seu isolamento quase completo do oceano pacífico, desapareceu, e virou tudo um oceano só. As estações de tratamento de dejetos da Coreia do Norte submergiram, já que a água cobriu uma faixa extensa da região costeira. A recuperação do planeta não é tão rápida quanto a gente gostaria, Karima, mas pelo menos os governantes chegaram a um consenso: Ou seguimos num projeto único, com metas reais para a sobrevivência da espécie humana em seu *habitat*, ou será o fim de tudo. E, ainda assim, isto só aconteceu depois de muito sofrimento, guerras e grande destruição. A realidade é que o planeta perdeu muito. A fisionomia da Terra agora é bem diferente do que era até dois séculos atrás. Para nossa sorte ou por providência divina, sabe-se lá, nos últimos tempos, os poucos poderosos comprometidos com o bem de suas nações conseguiram passar à frente dos destruidores, e houve uma espécie de limpeza natural. Os perversos foram sendo eliminados gradativamente, restando nos postos de decisão os sensatos, os que resistiram e que começaram, não só a reconstruir o planeta, mas a construir um novo ciclo civilizatório.

Foi ótimo conversar com Erasto porque toda vez que eu pensava na recuperação da Terra, me vinha um sentimento bom, de cura, e uma espécie de instinto de sobrevivência ancestral pulsava na minha alma. As novas civilizações fundadas por humanos em outros planetas era uma das saídas para a subsistência da espécie, mas saber que o planeta de meus antepassados poderia recuperar-se e voltar um dia a ser totalmente ocupado me enchia de esperanças.

Quando perguntei a Erasto sobre Dalji e a reunião, ele me disse que não estava autorizado a dizer nada ainda, a não ser que as coisas estavam seguindo numa direção positiva.

Em Wangari, Saburi já sabia que havia uma investigação contra ele em curso na União. Não foi difícil descobrir, já que a família do paisagista envolvido no sequestro tinha procurado a ajuda dele, pois o rapaz estava sendo interrogado por oficiais da FSEI, e tinha sido obrigado a usar um *chip* de monitoramento. Ele sabia que o cerco estava se fechando, e até as suas tentativas de invasão sobre a mente de Akin estavam fracassando. Galeano, por sua vez, resolveu não atender ao sinal do conselheiro enquanto não estivesse com sua máquina totalmente pronta. Dava-se ao luxo de não permitir interferências na etapa final do projeto, porque sabia que o jogo havia virado, e que, dessa vez, era Saburi quem dependia dele.

A arma

No depoimento aos membros da União, minha mãe relatou tudo o que acontecera desde o dia do meu sequestro e expôs a relação que Saburi tinha com nossa família, que era de mostrar-se sempre contrário à forma como ela e meu pai educavam os filhos. Ele considerava que tínhamos acesso a informações demais e que isso não nos faria bem. Saburi sempre tentou persuadi-los a dar mais lazer e menos estudos aos filhos, que se desenvolviam rapidamente em todas as áreas a que se dedicavam. Rasul crescia já com a meta de se tornar um diplomata, dominando bem as línguas oficiais e interessando-se também pelas africanas. Aos oito anos, ele já tinha em seus computadores conteúdos de filosofia, história, organização global dos países na Terra e formação social de Wangari, que lia por interesse próprio, como atividades extracurriculares. Minha mãe continuou o relato, explicando que, depois da morte de Rasul, e de eu ter me tornado adulta, sempre que ia à nossa casa, Saburi tentava influenciá-los, forjando uma imagem negativa minha, como se eu não merecesse as medalhas recebidas na universidade, pois ele me achava demasiadamente extrovertida e pouco concentrada nos trabalhos comunitários, muito voltada apenas para meus próprios interesses.

Até então, o depoimento de Zaila não estava convincente em termos de argumentos para a estatura de sua acusação contra Saburi. Mas quando ela entrou na área do uso da telepatia e das invasões que havia percebido estarem acontecendo, com tentativas de obtenção dos códigos da família, incluindo o meu, sem sua autorização, eles quiseram saber detalhes. Então, a memorialista contou que, numa dessas invasões, mesmo alheia à sua própria vontade, acabou recebendo uma imagem de um homem com um computador e no comando de um drone. Como estava com a filha desaparecida e preocupada com o seu destino, fixou o contato e descobriu que aquele homem havia recebido instruções do conselheiro, encomendando a minha eliminação, e que o drone era uma arma mortal.

Os membros da União encerraram ali o depoimento de minha mãe e convocaram meu pai. Confirmaram com ele o envolvimento da FSEI no caso do sequestro, desde o início, com a minha retirada para o planeta Terra e o envolvimento do paisagista de Saburi no crime. Juntando-se a isso o depoimento de Akin, que implicou o conselheiro na lei de mau uso da telepatia para obter informações confidenciais por meio de manipulação mental, a União Soberana já tinha motivos suficientes para convocar Saburi a ser ouvido pela Justiça, sob a acusação de mandante de sequestro e de tentativa de assassinato. Liberados após os depoimentos, meus pais puderam voltar juntos pra casa, e o ministro Malique, imediatamente, passou à Dalji as coordenadas de localização de Galeano. A comandante então seguiu com Julião, e mais um oficial, num carro voador da Força de Segurança para prender o inventor e bloquear o drone. No trajeto entre a Base e a casa de Galeano, Dalji atendeu ao meu pedido de conversa por holograma. O equipamento no carro foi acionado e eu pude falar.

– Olá, Dalji. Primeiro quero dizer que estou bem e que Erasto e Bonami têm sido ótimos companheiros, mas preciso saber como estão meus pais e Akin em Wangari. O que mais você descobriu sobre o caso, e quando vou poder voltar para meu planeta?

— Karima, ainda não posso falar sobre o processo do sequestro, mas garanto que está caminhando para um desfecho favorável, e logo você poderá voltar para casa. Seus pais estão bem, e ansiosos pelo seu retorno. Por enquanto, peço que você não se afaste do centro de convivência em hipótese alguma, pois está em curso uma operação perigosa, entendeu?

Após esse diálogo, a comandante desligou o equipamento do carro e falou particularmente com Erasto para que não deixasse que eu saísse do alcance de seus olhos, mesmo que fosse para distâncias curtas ao redor. Ela estava certa de que a confissão de Galeano seria a prova final para a condenação de Saburi. Aquele contato não tinha acontecido como eu gostaria, porque pensei que íamos poder falar sobre outras coisas também, como da saudade que estou sentindo com esse afastamento, ou sobre o quanto me faziam falta as nossas conversas sobre a Terra. Dalji não me disse para onde estava indo, mas pela imagem no carro percebi que era mesmo a uma missão policial, com todos muito bem armados. Frustrada e triste, fui direto para o pé da grande árvore, disposta a meditar e respirar um pouco de ar puro.

Nesse meio-tempo, Saburi insistia no contato com Galeano para alertá-lo sobre a possibilidade de sua captura e dizer que ele devia abandonar a casa e ir para outro lugar, mas Galeano estava completamente focado em lançar o drone na direção das coordenadas do local aonde eu costumava ir sempre depois do almoço, a grande árvore no quintal do centro de convivência. Erasto não conhecia esse lugar acolhedor e, quando começou a me procurar, acabou indo primeiro para o ajardinado frontal, depois saiu andando pela rua à minha procura. O pássaro azul estava ainda longe do ponto marcado para me atingir, mas seguia corretamente as coordenadas. Galeano havia entendido a rotina que eu criei, indo para o pé da árvore, no mesmo lugar, mais ou menos no mesmo horário. Em poucos segundos, já em voo mais baixo, o pássaro me localizou, e estava pronto para disparar o dardo.

O caçador

Na casa de meus pais, os dois esperavam uma comunicação de Dalji sobre a captura de Galeano. Entretanto, quando a comandante e a equipe de oficiais chegaram à casa do inventor ele não estava mais lá. Perceberam que havia marcas dos pneus da van na areia e que eram bem recentes. Ele havia acabado de fugir. Os oficiais seguiram as marcas que continuavam por uma estrada estreita, no meio da vegetação, numa direção perpendicular à estrada principal. Não demorou para que o carro voador alcançasse a van e desse a ordem pelo microfone para que Galeano parasse. O homem não tinha mais como continuar, parou e saiu com as mãos para o alto. Ao ser questionado sobre o drone, respondeu que era tarde demais, pois a máquina já estava toda programada e ele havia destruído o controle remoto antes de tentar fugir.

Dalji entendeu a gravidade da situação, enviou uma mensagem a Erasto pelo equipamento móvel, ele atendeu e disse que estava à minha procura. Dalji lhe falou sobre o drone, e ele voltou correndo para as proximidades do centro de convivência procurando um sinal da máquina no céu. Quando estava se dirigindo ao fundo do quintal, já perto de onde me avistou sentada ao pé da árvore, gritou para que eu não saísse, mas ele estava longe e não entendi o que dizia. Levantei para ir ao seu encontro e então paralisei, diante da visão do pássaro azul, descendo num mergulho em minha direção. Erasto correu, me jogou no chão e me cobriu com seu corpo. Uma flecha atingiu o pássaro e desviou o seu voo. Porém, antes de entrar em pane, ele soltou o dardo que acabou ferindo Erasto na perna esquerda. O oficial gritou de dor e foi perdendo os sentidos. Seu corpo pesou sobre mim, mas eu consegui me mover e levantar. O pássaro estava caído em meio a um amontoado de peças de metal e penas azuis espalhadas no chão. No mesmo instante ouvi um farfalhar de plantas no bosque e vi um homem negro alto e forte, com o torso nu, vestido da cintura para baixo com uma canga comprida de coloração azul. Ele tinha um chapéu metálico com uma ponteira na parte frontal de onde saía uma longa pluma, do mais belo pássaro já imaginado. Com a mão esquerda, segurava um grande arco de ferro. Nossos olhos se encontraram, ele me fez um aceno com a cabeça, deu meia-volta, e caminhou rapidamente mata adentro. Como se estivesse num sonho, demorei um pouco para sentir meus pés firmes no chão, então corri em direção à casa pedindo ajuda. Quando socorreram Erasto, seu corpo estava gelado. Olhei para o pássaro caído, e a flecha não estava nele e nem em nenhum lugar do quintal, havia sumido. Eu não conseguia pensar e, aos poucos, ficou nítido que aquele ataque era dirigido a mim, e, conforme havia sido avisada, eu estava protegida por uma espiritualidade forte e real.

  Erasto foi atendido por um grupo de anciões curandeiros, e a avó Fayola reconheceu o veneno como sendo da surucucu, a cobra mais perigosa da região da Amazônia brasileira. Eles já tinham o conhecimento de descobertas ocorridas nos séculos anteriores sobre a eficácia do extrato de uma árvore do Cerrado chamada popularmente de barbatimão, que impedia a coagulação do sangue provocada pelo potente veneno desse animal.

  – Bonami nos disse que, tempos atrás, após encontros para troca de conhecimentos sobre neuroimunologia, biólogos e indígenas brasileiros recomendaram aos especialistas africanos o plantio de algumas espécies de plantas que seriam de grande importância termos aqui. O barbatimão é uma delas. Avó Fayola encontrou o extrato do barbatimão em meio a muitos outros medicamentos fitoterápicos na enfermaria e o aplicou sem demora no local da perfuração. Depois preparou um chá com a substância, conseguiu fazer com que Erasto bebesse e ele foi voltando a si, bem fraco, mas lúcido.

Na estrada de terra, Galeano viu seus sonhos de enriquecimento e vida confortável em Wangari desaparecendo. Ali mesmo, onde havia sido detido pela FSEI, ele confessou que estava agindo a mando de Saburi, cumprindo uma missão que lhe traria como recompensa os dias de descanso que ele esperou por tanto tempo. Pela primeira vez depois da perda da esposa e dos filhos, Galeano sentiu uma certa paz. Naquele momento ele já não lamentava que o plano não tivesse dado certo, pois, no fundo, ele nunca teve certeza de que Saburi cumpriria com a palavra e lhe deixaria entrar em Wangari. Era muito provável que ele estivesse mentindo, e que depois até o denunciasse para a FSEI.

— Está certo, comandante, eu fui contratado por Saburi para construir a arma. Use a minha confissão que está sendo gravada agora pelo seu parceiro aqui, e faça a coisa certa – falou apontando para Julião, que empunhava um dispositivo móvel em sua direção. Me diga que o homem importante de Wangari, a autoridade que determina quem entra no paraíso e quem fica neste inferno, irá realmente pagar por seus crimes. Mas lamento avisar que a essa hora a moça protegida de vocês já deve estar morta. Não quero me gabar, mas o drone que eu construí ficou uma perfeição. É quase um pássaro de verdade, com um voo perfeito, de longe ninguém notaria diferença. Ah, antes que me pergunte sobre o veneno... consegui com um contrabandista de animais peçonhentos, mas não fiquei com a cobra surucucu, fiz negócio com ele pra ter só o veneno mesmo.

Dalji tentou controlar o pavor que a confissão de Galeano lhe havia causado e o desespero ao imaginar o que poderia estar acontecendo a Karima. Tentou várias vezes um contato com Erasto, mas não conseguiu. Então, entrou com o holograma na sala de equipamentos do centro de convivência e foi conectada por Bonami, que lhe contou o que ocorrera. Já aliviada com a informação de que o perigo havia passado, e estavam todos salvos, apesar de tudo, Dalji deu a ordem de prisão a Galeano, e entraram todos no veículo móvel. Em certo momento, enquanto passavam já a uma significativa altura sobre uma área de maior profundidade do mar, Galeano, que estava no banco traseiro, livrou uma das mãos, conseguiu destravar a porta do veículo, e lançar-se no espaço. Dalji pediu ao piloto que baixasse a viatura, mas o que os oficiais viram foi o corpo de Galeano mergulhando no meio de uma ilha de lixo e sucata. Por um longo tempo, o veículo sobrevoou uma grande extensão do material aglomerado, com Dalji e Julião utilizando potentes lentes de aproximação, mas o inventor de robôs jamais foi encontrado. Mais tarde, já de posse do computador de Galeano, os oficiais encontraram um arquivo de texto com uma longa carta em que ele havia relatado suas conversas com Saburi em torno do plano criminoso, e onde registrou também toda a sua revolta por ter sido impedido de buscar uma vida melhor para ele e sua família fora da Terra.

O desfecho

No escritório de casa, meu pai recebeu da FSEI em seu computador as imagens da prisão de Galeano com sua confissão gravada, além da carta, enfim, as provas irrefutáveis que incriminavam Saburi. Sem perda de tempo, Malique procurou os membros da União Soberana e lhes apresentou todo o material. Em poucos minutos já havia um carro voador do Departamento de Segurança de Wangari na porta do conselheiro.

— Olá, oficiais, sejam bem-vindos. Posso ajudá-los em alguma coisa?

— Viemos buscá-lo, senhor Saburi, queira nos acompanhar. O senhor está preso.

— Como assim preso? Você sabe que está falando com um membro do Conselho Popular da Nação, herdeiro de fundadores do planeta, e que tenho prioridade à vida?

— Sim, senhor, a sua vida estará sob nossa proteção, não se preocupe. As suas acomodações serão as melhores possíveis, e não lhe faltará nada. Por enquanto, bastará vir conosco.

Saburi tinha quase certeza de que a falta de comunicação de Galeano significava que a missão estava cumprida, e que o inventor havia escapado antes de ser descoberto. Mas ao saber que o que aconteceu foi o contrário, o conselheiro tentou um último golpe. Pediu aos oficiais que lhe permitissem ir ao quarto buscar seu dispositivo de dados pessoais, saiu para a garagem e entrou no carro com intenção de fugir. Entretanto, um segundo veículo voador da Segurança de Wangari já estava a postos nos fundos, para o caso de ter que iniciar uma perseguição. Enquanto saía da garagem, Saburi ouviu pelo microfone uma nova ordem de prisão e não teve alternativa, a não ser se entregar.

Depois de Bonami me garantir que Erasto estava se recuperando bem, fui até a varanda, sentei numa das redes e pensei em Wangari. Fiz um esforço grande para entrar num canal de conexão com minha mãe. Dessa vez, apesar de não muito nitidamente, consegui vê-la, como se estivesse com meus olhos numa câmera subjetiva. Ela ainda não podia me ver nem me ouvir, mas eu a acompanhei caminhando pela casa, entrando em meu quarto, e aproximando o rosto de minhas roupas no armário para sentir o meu cheiro. Seu semblante era de esperança. Em seguida, o canal se fechou. Foi um breve momento, mas funcionou como uma bênção. A comandante Dalji tranquilizou meus pais, afirmando que nada havia acontecido comigo, e que um dos oficiais de sua equipe tinha sido atingido quando me protegia, mas que já estava fora de perigo. Ela prometeu a eles estabelecer um canal para uma reunião em família por imagem, e iríamos poder conversar sem restrições. Isso aconteceria, no mais tardar, em dois dias, quando ela voltaria com Julião para o Centro de Harmonia Ambiental do mestre Bonami. Akin foi avisado por meus pais sobre o desfecho de tudo, e, finalmente, iria ter uma noite de sono em paz, descansando plenamente. Anoitece na Terra, e a Lua, seu satélite, está completamente cheia. Ela é magnífica, e quando sua luz prateada se esparrama pelas folhas das árvores, invade a varanda e chega até mim, é como se me banhasse de magia e beleza. Acho que não saberei descrever isso com palavras quando estiver longe. Da mesma forma, não saberei explicar para Dalji, no seu retorno, tudo o que tenho sentido quando penso nela.

A Lua

Já havia dois dias que não tínhamos nenhum evento perturbador. Numa tarde bem quente, de céu púrpura, depois de um longo tempo sentada sob a grande árvore, percebi que adultos e crianças corriam em direção à varanda. Me apressei também e vi Dalji e Julião passando pela varredura higienizadora e trocando suas vestes. Meu coração pareceu que ia saltar do peito, e eu só queria abraçá-los. Dei uns passos em direção à Dalji e ela fez o mesmo se aproximando de mim. Até aquele momento, jamais tínhamos tido tempo para um abraço sequer, e eu sentia, quando nos esbarrávamos ao acaso, o calor de nossos corpos em harmonia. Eu sei que para ela também é assim, e que vamos descobrir o jeito de realizarmos esse sentimento. Dalji me olhou com muito carinho, e fez questão de aliviar a tensão que me acompanhava desde o dia em que nos conhecemos. Agora, quando parecia ter terminado a imensa confusão que se iniciou com o meu sequestro e me fez chegar aqui, a comandante, finalmente, me dizia que Saburi estava sendo conduzido a uma prisão para criminosos perigosos, localizada numa estação espacial na órbita de Marte. Como primeira parte da severa pena recebida, um nano-robô foi injetado diretamente em seu cérebro para bloquear por completo a habilidade telepática, e ele não conseguiria mais acessar a mente de ninguém, muito menos os dados coletados pelos memorialistas.

Mestre Bonami levou Dalji e Julião ao encontro de Erasto, e eu permaneci na varanda, enquanto milhares de estrelas começavam a cintilar no céu da Terra. Observo tudo e respiro tranquila, convencida de estar realmente a salvo. Vai demorar um pouco para que eu consiga avaliar bem os efeitos dessa viagem. As certezas que eu tinha até então, não as reconheço mais. Há momentos em que penso na volta para Wangari, mas há outros em que considero ficar indefinidamente por aqui, trabalhando e contribuindo com meus conhecimentos na reconstrução do planeta de meus ancestrais. Agora, a distância, consigo identificar os erros do passado de Wangari e, quem sabe, fortalecida por tudo o que vi e ouvi, eu volte um dia, para poder influenciar no desenvolvimento daquela sociedade. Sim, ela ainda não é completamente justa. Que sejam revistos os procedimentos para a entrada de cidadãos no novo planeta e, antes de tudo, que se considere o caráter de cada um, a história de vida, e a vontade de trabalhar pelo bem da coletividade, sem discriminações. O momento é feliz para mim, porque finalmente enxergo com clareza os meus objetivos maiores e as respostas aos meus anseios. Aproveitei a tranquilidade e fechei meus olhos em uma concentração buscando Chiok, na esperança de que ele aparecesse e eu pudesse lhe agradecer. Ele não veio, mas nem precisava, pois, em meio aos sons delicados da noite, escuto a mesma música do encontro no templo. Não faz diferença se os cantos e tambores estão no plano real ou em algum lugar dentro de mim, pois eu posso sentir a presença dos meus antepassados de forma tão palpável, que tenho a certeza de que minha profunda gratidão chega a eles nesse exato instante. Uma brisa fresca alivia um pouco o calor intenso. Encosto a cabeça na rede, respiro tranquila e imagino que, a esta altura, Oxóssi, o guardião da floresta, está à beira de uma cachoeira se banhando ao lado de Otin, com as águas trazidas na jarra da caçadora. Tudo está em paz, e os dois descansam juntos sob a prata da lua cheia.

Referências:

RIBEIRO, Katiúscia; MOREIRA JR., Valter Duarte. Análises e reflexões afrocêntricas acerca da educação filosófica. **Revista Sul-Americana de Filosofia e Educação – RESAFE**, Brasília, n. 31, p.87-100. mai./out. 2019. Disponível em: https://periodicos.unb.br/index.php/resafe/article/view/28258/24241

CONNECTING Africas's Past to it's Future – Nok Civilisation - West African Empires. Disponível em: https://janakesho1.wordpress.com/2016/01/23/nok-civilisation/

BORGES, Solange. **Quênia e o gosto por ganhar corridas**. 2014. Disponível em: http://www.afreaka.com.br/notas/quenia-e-o-gosto-por-ganhar-corridas/

NJERI, Aza. **Tradição Oral e Contação de Histórias** feat Nathália Grilo. Disponível em: https://www.youtube.com/watch?v=UHGI-_MzRTk&t=1295s

NJERI, Aza. **Você sabe o que é Maafa?** Disponível em: https://www.youtube.com/watch?v=jLVO4D9gCBU

SANTOS, Ale. **Rastros de resistência**: histórias de luta e liberdade do povo negro. São Paulo: Panda Books, 2019.

SILVA, Lucas César Rodrigues da; DIAS, Rafael de Brito Dias. **As tecnologias derivadas da matriz africana no Brasil:** um estudo exploratório. Campinas, Universidade Estadual de Campinas, 2020.

ProduçãoNational Geographic – Criação Bem Young Mason e Justin Wilkes – Baseada no livro "How we live on Mars", de Stephen Petranek. Canal Netflix

PAULA, Rafael Cisne de. **Efeito de extratos vegetais sobre atividades biológicas do veneno da serpente Lachesis Muta – Neuroimunologia**. Niterói, Universidade Federal Fluminense, 2009. Disponível: https://silo.tips/download/rafael-cisne-de-paula-efeito-de-extratos-vegetais-sobre-atividades-biologicas-do

As MARAVILHAS do céu estrelado, 2014. Disponível em: http://www.asmaravilhasdoceuestrelado.com.br/2013/09/nebulosa-trifidauma-incubadora-de.html

MULHERES que mudaram a engenharia e a ciência – Mae Jamison – 2018 https://engenharia360.com/mulheres-que-mudaram-a-engenharia-e-a-ciencia-mae-jemison/

A DESTRUIÇÃO dos documentos sobre a escravidão 1890. São Paulo, **O Estado de São Paulo**. Disponível em: http://m.acervo.estadao.com.br/noticias/acervo,a-destruicao-dos-documentos-sobre-a-escravidao -

O QUE foi o movimento de eugenia no Brasil: tão absurdo que é difícil acreditar. Disponível em: https://www.geledes.org.br/o-que-foi-o-movimento-de-eugenia-no-brasil-tao-absurdo-que-e-dificil-acreditar/

SOUZA, Vanderlei Sebastião de Souza. **As ideias eugênicas no Brasil**. Disponível em: https://ojs.ufgd.edu.br/index.php/historiaemreflexao/article/viewFile/1877/1041

RIBEIRO, Rodrigo de Oliveira. Literatura e racismo: uma análise sobre Monteiro Lobato e sua obra. https://www.conjur.com.br/2015-dez-12/literatura-racismo-analise-monteiro-lobato-obra

Esta obra foi composta em Arno Pro Light 13 e impressa na gráfica PSI em São Paulo para a Editora Malê em agosto de 2024.